JN102382

惑星限界の危機を迎えて

技術のこころと日本の行く道

（還暦技術者）上島　隆

目次

はじめに

60年間続けた化学技術者現役（京都大学工学部大学院5年、民間企業33年、ISOマネジメントシステム審査員22年）に終止符を打ち、今は自分の歩んだ道を総括しつつお役に立てると考えるものを残す心で過ごしております。はじめに、技術者としての今の姿勢をお示しします。

誠実に、努力し、
創意工夫の道を "技術のこころ" をもって、
自灯明にて進む

「誠実に、努力し」は、筆者の両親（曹洞宗の信者）が自らの生き方で、子供たちに示してくれたものです。特に誠実の中で、「嘘はつかない」、「誤ったことをしてしまった時は、ごまかさず素直に謝り償いをする（決して容易なことではない）」があり、本書の「正しきにつく」につながっています。「努力し」は人生のあり方を示しており、一息ついた時には次の目標を作りそれに向かって努力することが含まれます。

「自灯明にて進む」は、筆者が自分の人生経験から、最重要項目として信ずる内容です。これはお釈迦様がお亡くなりになる時、不安がる弟子たちに「法灯明」そして「自灯明」を示されたことからきます。「法」の内容は、仏教では仏法のことですが、これは一人一人の技術者には自ら信じる道（法）があると考えるので加えていません。但し自灯明（人の考えをうのみにせず自らの判断で行う）は、どの人にとっても最重要と考えるのです。

この字は、古文字「望」です。

37歳の時、定年を迎えられた丸山先輩（工務課長、設備でお世話になった）から記念にいただきました。丸山先輩は、書道の先生でもあり、仏教にも造詣が深かった。

丸山先輩の言葉によれば、これは「人が、背筋を伸ばし、目標に向かって真っすぐに顔を向けて、取り組んでいる姿」です。人間の好ましい有り様を示したものと大切に思い自室の本箱の上に飾り、私を見下ろし続けてきたものです。

1. 惑星限界の危機を迎えて

1-1
惑星限界（Planetary boundaries）

今の人類にとって、惑星限界とは地球の限界と同じ意味です。惑星限界は、「人類が生存できる安全な活動範囲とその限界」を意味しており、限界を超えると、人類の活動状況が制限されるだけでなく、人類の生存が脅かされ人口の激減更には絶滅の危機に直面することになります。現状既に境界を越えつつある項目があるのではないかと懸念されています。

化学技術者の筆者は、本書では化学物質（放射性を含む）に焦点を当てて自らの判断で専門外項目を含め6事例を取り上げました。その範囲の中で最も近い惑星限界は、地球の高温化（＊）に基づく様々な現象です。

> ＊地球の温暖化（Global warming）と言われていますが、筆者は温暖という言葉は、「気温がほどよくあたたかで、過ごしやすい気候であること」（広辞苑）であり、危機感を喪失させ適切でないと考えるので、高温化を使うこととします。

人類は、ここしばらく10年余りの単位で10億人づつ増え続け80億人となりました。技術も目覚ましく進化させ、人類の活動による地球環境に与える影響は巨大になってきています。

その結果、代表的な温暖化ガス（CO_2の他に、CH_4、N_2O、フッ素化合物等がある）であるCO_2の排出量が増加し、その濃度は2022年度は前年より2.2ppm増え過去最高の 417.9ppm に達しています（WMO 発表）。尚、一人の人間の排出するCO_2は、約0.4t/yであり、80億人で約32億トンになります。

産業革命以降の地球の温度上昇はわずか平均気温1.1℃の上昇なのに事象としては誠に激しいものがあります。具体的には地球の気象情報を見てみると、大雨による洪水で人が死ぬ・社会インフラもつぶれる／土砂崩れが多発し人が亡くなる／山火事が多発し人が亡くなると共に住環境が制限されてきている／農地も被害を受け食料不足が加速する／干ばつによる農産物の減少がある／竜巻等の風被害の甚大化が進む／海面が徐々に上昇し住める環境が減る等々の事象が増え続けており、発生した場所では地獄絵が広がっています。そしてこのまま温暖化ガスの増加が続くと危機的な状況は増えるのです。2022年度の米国における異常気象の損害は22兆円と報道されています。これらが拡大していけば、人類の活動は制約されることになるのは必然と考えるのです。

惑星限界の総括的な内容は数多くの情報がありますが、国立研究開発法人国立環境研究所が発表している内容がありますのでそちらも参照頂くと良いと思います。そこでは、主なものとし「種の絶滅」と「生物圏と海洋における窒素・リンの循環」等が詳しくが取り上げられています。

1-2
人類は惑星限界が本当に来ると
危機感をもっているのか

世界の運営に責任を持つお二人が危機感を露わにしています。国連のグテーレス事務総長が、本年は「地球沸騰化（Global boiling）」時代が始まったと危機感を明確に述べ対策の加速を求めました。ローマ法王は、ここ数年間地球高温化の防止策を進めよと度々発言し続けておられますが、本年は気候変動懐疑論を一喝したとの報道があります。世界のリーダ政治家の多くの人がその施策の実行に前向き発言をしています。

その結果として、パリ協定（2016年発効）において、カーボンニュートラルを2050年に達成し、気温の上昇を1.5℃に抑えるとの計画が数年前に作成されています。

しかしながら、2022年度の世界のCO_2排出量は対前年比0.9%増の368億トンであり、前年より増加率は低下したとはいえ、過去最高となっています。現状、惑星限界を迎えつつあると危機感を明確に持ち、その回避を最優先行動とする人が大勢を占めているとは言えないと思っています。日本においても、「地球の長い歴史の中の寒波と熱波の繰り返しの一例であると言う人」、「TV報道で、今年の秋は夏並みに暑さが続いているとにこやかに話す人」、「まだまだ余裕があると言う人」、「重要問題と認識しない人」、「国家間の争いや自国内の争いに心を奪われ地球の状況にまで考えが及ばない人」等が多く、

日本及び世界の大勢は危機感が十分あるとは言えない実情と
みえます。確かに地球の気温に影響を与える因子は、太陽の
活動（黒点の発生量等）の大きさ、地球上のホコリの量等が
あり、温暖化ガスだけではありません。

還暦技術者である筆者は、CO_2の増加傾向と地球温度上昇の
相関性のあるデータ曲線を詳細に見比べ判断し、CO_2を代表
とする温暖化ガスによる高温化がこのままの状況では深刻化
すると評価しており、その結果平均気温上昇が2℃に達すれ
ば、惑星限界をもたらすのではないかと危惧しています。
筆者の危機感の一例をあげると、気温が上がると海水温も高
くなり水蒸気の発生量も多くなり、当然雨の降る量も多くな
ります。2023年夏の日本で、130mm/hを超える雨がかなりの
場所で降りました。筆者は、日本の排水能力は100mm/hの雨
が2時間程度が限界と予想しており、大雨が降ったところはど
こも洪水の危険が迫っていると認識しています。平均気温が
2℃上昇すれば、降雨量は150mm/hを超えるのではないかと
危惧しています。山崩れもおおくなる。何よりも農地がダメ
ージを受け食料不足がやって来ると考えます。気温上昇は、
山火事も多発し熱中症にも対応できない程増えると考えま
す。要するに今の状況の延長では、世界80億の人口が維持で
きなくなると判断しているのです。
さらに筆者は、現在予測されている以上に、手の打ちようの
ない加速度的なCO_2濃度上昇及び温度上昇（例えば森林火災

が広がり、CO_2の発生量が高くなると同時にCO_2吸収量が少なくなる）が進むのを大変危惧しています。いつ人類が破滅的なダメージを受けるかについては分かりませんが、近い将来必ず来ると考えており、様々な事象を英知と危機感をもって対処し、カーボンニュートラル達成を応援し続けることは正しいと思っています。

技術者の役割からすると、現状データの開示及び危機感の広報が限られており、マスコミの報道も十分とは言えず、人類の大勢がその状況を知るに至っていないのも対策実行が遅れている理由の一つと思われ、改善の必要があると考えています。

1-3
人類は技術を進化させて来たのに、なぜ"惑星限界"が来るのか

①現在は人類の大多数の人が、技術の成果を享受し楽園生活を送っています。

最近の筆者生活です。

今朝は、起きて、作ってあったお味噌汁に冷蔵庫の卵を入れガスレンジの強さコントロールを設定して5分で完成した。サケの切り身もおいしく焼けた。冷たくなったご飯50g（少ないですが糖尿病対策です）をお茶碗に入れ電子レンジで65℃指定の加熱をしてあっという間にふっくら出来上がり、野菜

の煮物と共においしい朝ご飯を、テレビニュースを確認しながら、いただきました。食後血糖値を下げる効果のあるモーニングコーヒーを湯沸かし器のお湯を使って入れ楽しみました。一休みし、自慢のアルミニウムフレームの軽量サイクリング車で15km一回りし、その途中で準備してあった畑に玉ねぎの苗130本を植えました。苗、肥料、穴あきブラック・シート、固定具の使用等技術の塊です。日本の技術力に万歳の声を上げる生活ぶりなのです。

この本をお読みいただいた人も、同じような楽園生活を送っておられると思います。TV報道を見ていても楽園報道が多いです。ちょっと心配だなと思う報道もありますが、まだ深刻さがないと思います。いろいろな方とお話ししても人類の生存にまで関わると思っている人は少ないのが現状です。

②ところがどっこい、世界を見回すと、地獄絵が急速に広がり続けています

直近の地球の状況を見ると、局部的に実にすさまじいことが起こっています。

2022年では、パキスタンの国土の1/3が水没したとの情報です。1200人を超える死者が出たことに心よりお悔やみ申し上げると共に、人々の今年の食糧事情を思うと胸が痛みます。最近のTVのニュースでは35か国で飢餓が発生していると世界の状況も報告されています。

2023年では、カナダの山火事の煙がニューヨークを襲う、ハ

ワイの島の1/3が焼けるすさまじい火災で100人以上の人が亡くなった（地球高温化による植物の乾燥と強風が原因と評価されています）、リビヤ洪水（雨の少ない場所である）で1万人単位の死者・行方不明者が出た　等のTV報道があります。日本でも新潟地方に8月雨が少なく新潟コシヒカリがダメージを受けていると報道されています。今年の夏はかって無いほど多くの場所で猛暑日が多くなった。秋になってもかって無い高温が続いています。要するに、急速な変化をしており、局所で地獄絵が発生しているのです。

調子よく技術を進化させ80億人まで増えた人類ですが、**地球高温化により厳しい状況が出ることを突き付けられているのです。いつ惑星限界という状況になるか秒読みのように筆者は思うのです。**

③何故このようなことになるのか？
その答えは明白です。現在の人類の能力では、自然界の事をほとんど理解できていないことです。

大きなメリットを持った新技術・新製品を世に出した時、新技術・新製品がもたらす「自然界への負の側面（影響）」を殆ど予見できていないのです。技術・製品を実用化した時に生じる「自然界における負の側面（影響）」は、発生し明らかになってからでないと対応できていないのが人類の現状であり、その結果、対応が「後手・後手」になり大きな「負の側面（影響）」を発生させているのです。

多くの技術者の方が筆者のこの考えに対して異論を唱えられるのではないかと思いますが、良く良くお考えになってみてください。新製品・新技術の優れた点は明らかになっていますが、「自然界への負の側面（影響）」は穴だらけなのにお気づきになるでしょう。

それでも技術者たちは、発生後その「負の側面（影響）」を取り除く優れた成果を挙げてきています（2-2-3項参照）が、今までの働きでは全く不十分なのです。

地球高温化のことを再度考えてみますと、この200年間石炭・石油・天然ガスをエネルギー及び資源とした結果、人口の急拡大及び急速な技術の進化があり、それが、CO_2濃度を毎年2-3ppm増加させ、300ppmであったその濃度をいまでは417.9ppm（2022年）にしてしまいました。この数字は予測していたと思いますが、CO_2は代表的な温暖化ガスであり、地球の平均気温を1.1℃上昇させ、数々の温暖化による被害をもたらし始める内容までは（どこで何が起こる）予測出来ていなかったと考えます。

この被害状況を認識していなかったため、エネルギー源の脱炭素への対応をとるのが遅れたのです。この危機に対して2050年までにカーボンニュートラルを達成しないと大変なことになると予測し動き始めたのですが、これは技術の根本的な変革であり、総力を挙げて取り組んでいる状況には程遠く、容易ではない状況にあるのです。もう一つ1.1℃上昇が齎す予想

外の大きな各種災害の発生（局所的ですが）を予測できていません。

国際エネルギー機関（IEA）が化石燃料の推移を予測発表しました。2050年で、石炭60％／石油・天然ガス90％台と（2023年10月25日朝日新聞記事）なり、エネルギー転換が始まると良い予測と読める報道していますが、これでは計画した2050年カーボンニュートラルなんて絶対無理だと考えます。**危ういかな人類と私は思うのです。**

この問題の他にも、人類が十分認識できていない（対応が不十分）なものに、放射能汚染、マイクロプラスチックの魚類・鳥類及び人類への影響、PFASによる飲料水を通しての人間への悪影響、微生物界の変化による脅威、遺伝子操作による影響等々も考えられる。問題はまだその深刻度を人類全体が認識できておらず、対策が不十分なことにあります。

数千年の歴史において、人類が一貫して創意工夫に取り組みその成果は次の世代へと受け継いで進化してきたことは人類のみが成しえて来た誠に素晴らしいことです。多くの技術に携わる者が、自然界の新しい知見を知り得て、革新的な技術開発をし、又身近な創意工夫を行い、技術を進化させてきたのですが、現状では「自然界への負の側面（影響）」を発生させないためには能力不足であり、対応には今までの何倍も慎重にならないといけないと考えるのです。

**④それゆえ、全ての技術者が新たな"技術のこころ"を持っ
て、新製品・新技術を世に送り出す時に対処せねばならな
いことがあることを還暦技術者の筆者は主張するのです。**

**⑤その他に、地球の危機が迫っているのに何をしているのか
愚か者と言いたくなる深刻な問題があります。**

人間の心から切り離せない我欲（権力欲・一人勝手・わがま
ま）を振り回すものが、「自然界への負の側面（影響）」を
まき散らすのです。第2次世界大戦の反省から国連を作り、あま
り勝手なことをせず協調していこうとしたのに、100年帰りす
る国・指導者が出てきています。ミサイルを沢山打てばCO_2
がどれだけ増えるか、建物を破壊すればそれを復旧するのに
どれだけの資材・エネルギー等が必要になりCO_2が増えるか、
おまけに核兵器使用による人類滅亡のシナリオまでも動いて
います。

SDGsに代表される世界の多くの方々・国際機関が懸命にこ
の危機からの回避に注力していることには頭が下がりますが、
迫りくる地獄のごとき状況を変えるのは容易でないのが実情
と考えます。**人類は、まさに絶滅か進化かの瀬戸際に立って
いると考えます。**

**⑥これに付け加えて次元は低いが、見過ごしにできないのが、
技術者が「正しきにつく」ことが出来ていない時があるこ
とです。誤ったことが実行されために、技術の世界をゆが**

めている実態があります。

本項の事例は、後述（2-2-6項）致します。

これらを考慮して、筆者の意見を本書では記載したものです。

2. "技術のこころ"

2-1
筆者の考える、今必要な、"技術のこころ"

技術者は、「技術の心」を発揮して素晴らしい仕事をし続けています。

筆者は技術者という言葉を、研究者を含む幅広い言葉として使っています。

広辞苑に示されている技術者の二つの意味（①物事をたくみにおこなう技。技巧。技芸。　②科学を実地に応用して自然の事物を改変・加工し人間生活に役立てるわざ）の他に、自然界の事実及び法則を新たに見出し、それらを使って人類の活動に資する新製品・新技術を生み出すことが含まれています。具体的には、宇宙を含む自然界の法則や新しい事実の発見、生命（動物、植物、微生物）の実態（含進化）解明と応用した医療を含む援助技術、人類に役立つ様々なツール（化学、物理、人工知能）の開発等々があげられます。

技術者は、これらの分野において「いかなる制限もなく、新しい事実（etwas　Neues）を見出すために持てる能力・時間を全て注ぎ込みそして新しく発見した事実に基づき、新技術・製品を開発し、社会に貢献する」を実行してきているのです。それを実現するために、いかなる苦労もいとわずに現状の人

間界の技術を学び・把握し、それに新しさを加える研究・開発に邁進しています。これらの時に発揮されるのが「技術の心」であると思っています。そして実現すれば、技術者に無上の喜びと達成感をもたらしています。

etwas Neuesには、新規性のレベル、影響力の大小、基礎から応用、メリットの大小等様々ですが、私は技術者の働きはいずれのレベルでも等しく貴いものであると思っています。

筆者がここで言う、今必要な"技術のこころ"は、上記の「技術の心」加える下記2項目です。

①惑星限界の危機を迎え地球上の生命体が進化していけない状況に至らないように、新しい製品と技術を世に出す時に、そして世に出してから分かった「自然界にもたらす負の側面（環境）」に、十分な配慮をして行動することを"技術のこころ"として提案するものです。

②惑星限界には無関係ですが、現実の技術界の課題として、「正しきにつく」及び「人間の活動ミスによる巨大事故防止技術確立」の2点加えております。

具体的には

Ⅰ．技術者が、新製品・新技術を世に出す時には、自らが自然界のことを十分理解していないことを確実に認識した上で、分かりうる新製品・新技術の「負の側面（影響）」を推測・検討し、あれば可能な定量化をして公表した上

で新製品及び新技術を実行に移すことです。具体的には、

① もし明白で本質的な自然界に悪影響を及ぼす「負の側面（影響）」がその時点で分かったなら、その技術・製品を世に出すことを断念するのです。

既に実施中の技術・製品についても、自然界の悪影響を及ぼす「負の側面（影響）」があることが分かったらその内容を遅滞なく公表し対策を検討するのです。もう既に開発してしまった人類を滅ぼす力のある核兵器のようなものは廃棄することです。

② もしくは、本質的な「負の側面（影響）」が生じない技術の改良を行い、新技術・新製品を磨くことです。新製品・新技術を世に出す時は、競って急ぐことなく、十分検討することが必要であることが大切と考えます。

③ 使用すれば地球上の生命体に無差別に「負の側面（影響）」を与える製品・技術の実行には、参画しないことです。

核兵器が最大のものであり、作ってしまった以上全廃することが必要です。我欲に狂った人間が、そのような技術を手にして使おうとするなら、難しいことではあるが、技術者なら手を貸さずそのような動きを排除する心を持つことが必要です。細菌などをまき散らす生物兵器、毒ガス等の声明を大量虐殺する技術もです。

多くの技術者の方は、そのようなことは実行している

と言われるかもしれませんが、現状のやり方では、不十分なことを知って頂きたく思います。

2. 新しく世に出した技術・製品の「負の側面（影響）」は、自らが自然界の事を十分理解出来ないことを前提に新たに明確になった事実を含めて定期的にフォローし、必要なら処置を遅滞なく取ることをいとわないことです。「負の側面（影響）」を知りながら覆い隠して、推進することは決してしてはならないのです。既存の製品についても、同様です。

3. 技術活動を実施するに当たり、「正しきにつく」を貫くことです。誤った組織の力（権力を含む）に負けてはならないのです。（参照2-2-6）
    ①利益や便益に押されて要求された「データの改竄」を許さないこと。データ改竄を命じるものが現れたら、拒否し、止めることです。
    ②技術の本道から外れた、誤った施策、パワハラ等権力の乱用を行う者に出会ったら、公開し止めることです。

4. もう一つは特殊な例ですが、「人のミスが、大きな事故を引き起こす可能性がある場合、人間の活動によらないミス時の対応技術を確立してから実行することです。」人間の行動においてミスゼロは達成できないことを明確

に認識し、大事故を引き起こす可能性があればそれに対応する人間の活動以外の技術を確立しなければならないことです。（参照2-2-8）

2-2
"技術のこころ"に係る筆者の経験した事又考える事

2-2-1　人類は自然界のことを殆ど知らないことを確実に認識すること

<u>「上島さん、人類は自然界のことをどれぐらい知っていると思っていますか」と懇談の場で、1981年にノーベル化学賞を受賞された福井健一先生（当時、量子化学を基にて化学反応予測のシステム開発された研究者として私は畏敬の念を持っていた）から、尋ねられた。</u>

当時上島は50歳、プラスチックの加工及び商品開発を行う研究所の所長を務めており、多くの有能な部下に恵まれ、研究・開発の成果を挙げ続けており、他社との競争にも負けない組織のマネジャーとして自信満々の時であったが、考えたことが無かった質問であり答えに窮した。ちょっと逡巡していると、気の毒に思われた（？）先生から、<u>「99％知らない、いや99.9％かもしれない、いやもっと99.99％以上かもしれない、それ以上かもしれない」</u>と言われた。化学反応の予測で画期的な計算手法を見出されその分野世界No.1研究者の言葉であった。恐れを知らない研究者であった上島は、残念なことに

その日はそれ以上頭が働かずそれではどうすれば良いかと先生の御心を尋ねることが出来なかった。愚か者と自らを叱責しつつ、後悔が残り続けている。

それから30年以上たった今の私は還暦技術者となり、先生がおっしゃって頂いた人間の知恵（技術成果）についての認識への警告の意味が痛いほど突き刺さる。開発が成功すると大喜びし何でも出来るような気になるが、実はそのことが実施された時に生じる「自然界への負の側面（影響)」に思いをはせて対応することが出来ていないまま進めていることが多く認められるのである。そのことが、繰り返しになりますが、現在人類に襲いかかろうとしている"惑星限界"の危機をもたらす根本的な理由と考えるからです。

2-2-2　二人の偉大な先達の示した"技術のこころ"

私はこのお二人の偉大な先輩技術者について、わずかな知見しか持たないが、"技術のこころ"を示されたとして尊敬の念を持ってここに記載するものです。

【アルフレッド　ノーベル】

筆者の中学生時代にアルフレッド　ノーベルの伝記を読み、ダイナマイトを開発し工事現場などで大変有効な使われ方をして人類に多大の貢献をされ事業利益も上げられたが、そのダイナマイトが戦場で武器に使われ多くの人が亡くなる事実を目の当たりにして、ダイナマイトの武器使用に心を痛め、

ノーベル平和賞を創設したとのエピソードを読んだ。このことは、技術者は平和の基で技術の進化を求めているが出来上がった結果を人を傷つける道具に使用するものが出る人間社会は実に嘆かわしいとする心が背景にあると認識します。

先程テレビにて、2022年のノーベル平和賞で、ベルラーシ、ロシアそしてウクライナの人の中に、逆境にもめげずに、平和・人権・民主主義を大事にした行動を行ってきたことに対して贈られたとの報道があった。まさにアルフレッド　ノーベルの"技術のこころ"が今も生きておりうれしく拝見すると共に、その効果が限定的である現実の人間社会に対して悲しい心ではいる。さりながら、**ノーベル平和賞は、人類の英知の一つとして、何物にも代えがたい大切にすべき仕組みと考えるのです。**

【オッペンハイマー博士】

原爆の開発の指揮を執ったオッペンハイマー博士は、その後水爆開発に反対し公職追放されたが、68年ぶりにそのことが撤回（米国）され技術者として名誉回復されたとの2022年12月18日朝日新聞の記事があった。

オッペンハイマー博士は、原爆の父と呼ばれ核兵器を開発するマンハッタン計画のリーダーである。第2次世界大戦後、広島・長崎での原爆投下による民間被害の大きさと惨状を知った後に、それを上回る水爆開発に反対し、危険人物とみなされ1954年に国家機密にアクセスできる公職から追放された。

今回の処置を決めた米エネルギー省のグランフォルム長官は「歴史の記録を正し、オッペンハイマー氏の国防と化学事業への貢献をたたえる責任がある」と述べている。博士は原爆の開発が国防に必須の思いで取り組み第2次世界大戦を収束せしめる功績があったが、戦争にかかわりのない多くの人命を激しく傷つけたことを知り、それ以上の核兵器の開発に反対したのである。**技術者として、核兵器開発の是非に思いをはせなかったことは残念だが、いったんその非道を知った後は、反対に転じたことは真に"技術のこころ"をお持ちであると尊敬できる。米国エネルギー省がこの点に配慮し、公職追放は誤りであったとした今回の決定は、人類の将来に明るさを示すものとして、歓迎したいと思っている。**

その一方で、いまだに核兵器使用をちらつかせて、世界を脅かす指導者がいることに、人間の業・人間の愚かさから抜け出られない現状に深い憂慮を持ちつつ、いかにすれば、人類からこのような考えが消せるのか人類共通の最重要課題と考えている。オッペンハイマー博士の公職追放後の行動を勉強してみようと思っている。

2-2-3 技術者は多くの「自然界における負の側面（影響）」を回避する成果を挙げてきた

次項に、現在蠢いている惑星限界をもたらす可能性のある状況について私見を記載したが、人類が無害化に成功した例も多い、技術者は後手後手ではあるが確実に成果を挙げてきて

いる。

20世紀後半の北極圏オゾン層崩壊で穴が開き、その結果強い紫外線が降り注ぎヨーロッパでがん多発の脅威を招いた。これは、冷媒に使用するフロンガスが漏洩しオゾン層に到達しオゾン層の破壊に繋がった結果と判明した。冷媒の該当フロンを使用禁止にして数十年で回復する成果を挙げ、現時点ではかなり落ち着いているとの情報である。本来なら、当該フロンを開発した技術者がその「負の側面（影響）」に気が付きしかるべき技術の変更を行えれば良かったのだが、出来なかったのである。

日本では触媒に使用した水銀の排出により、魚が汚染しこれを食べた人間・猫等に神経障害（水俣病）に基づく残酷な被害が大量に発生した。触媒に使用した水銀を水俣湾に流出させ続け有機水銀の害が大規模に発生した結果である。これも原因が解明され、水銀が使用禁止となり収束に向かった。水俣病の影響は今も残っているが、人類はほぼその影響を取り除くことに成功しつつある。しかしながら後進国では金の採掘に素手で水銀を使い住民に水俣病症状がみられるとの報道もあるのが事実である。世界的に見ると、これも対策不十分である。

自動車の内装に軟質塩ビが使われていた。新車を買うと1年ぐらいは特有のにおいがしていたが、そのもとであるフタル酸エステルが有害であると指摘され、軟質塩ビからポリオレフィン系素材へと材料変換を成功させた。これは大きな害が報

29

告される前の技術成果であったと思っている。

化学物質の管理に対しては、水銀、Cd、6価Cr等激しい公害を引き起こしたが個々に対応がとられ更に進み、世界でもRoHS指令による10種類の物質の含有限界値が定められており、REACH規制により化合物全体の管理が行われている。但し完璧ではなく、有機フッ素化合物（PFAS）が現在規制対象の検討が進んでいる。本件、後述するが対応が後手に回っておりナノオーダーでの健康被害であり一刻も早い収束が必要である。

いずれにしても、現状レベルの行動では惑星限界を防ぐには不十分であり、その行動の改善を進めなければならないと思っている

2-2-4 惑星限界をもたらしうると考える事実と筆者が必要と考える技術対応

1）温暖化ガスを無制限に放出してきた

現在最も大きな問題で目前に迫ってきているのは、温暖化ガスCO_2濃度が約2ppm強／年上昇しそれに見合った地球気温の上昇があり、生命体にとって見過ごせない絶滅を予想させる地球環境の変化が生じ始めていることである。

約200年前に石炭火力による蒸気機関車に始まった産業革命は、人類に豊かさと人口爆発をもたらしたが、CO2地球温暖化による気候変動の恐ろしい現実（気温スポット上昇50℃、

大雨・大洪水、土砂崩れ、氷河溶解、海面上昇、干ばつ、風害　等々）を予見しなかったのである。要するに自然界で起きるこの変化に留意せずに人類が便利と思う事を求めて開発を進めてきているのである。気が付いてみれば、今や待ったなしでカーボンニュートラル（2050年達成の基本計画）の問題の解決に取り組まねばならない状況になってしまった。本項は1章でも述べており、又3章で関連記述するのでここではこれだけにしておきます。

これに関連して今一つ問題提起を致します。「CO_2を集めて地下に閉じ込めること」、「石油採掘時の補充ガスとすること」等を検討しているグループ（CCUS）があります。CO_2を閉じ込める地層の検討が必要なことは十分意識はされていますが、地球をコントロールする能力を持たない人類が、大量の温暖化ガスを地下に保管し、予想外の地殻変動で噴出することがあれば、地球温暖化は一気に進むことになることを考慮するとその時の影響「自然界への負の側面（影響）」を公表してもらいたいと考えます。筆者は、この技術は一時的に緊急避難のため採用するもしくは近い将来資源として利用する計画である等以外では、負の側面（影響）を消すことが出来そうになく思え、永続的な方法とすることには今のままでは賛成出来ないのです。**担当の技術者の皆様十分検討されておりご異議が出るものと思いますが、その結果を公表することをお願いします。**

【技術者が情報を確実にして広報すべきと考えること】

　①世界のCO_2排出量（年2回程度）のカーボンニュートラル計画と実績

　　先進国とその他の国を分けると課題が見える。

　②特に、化石燃料の使用推移と再生可能エネルギーの割合

　③成功した排出量削減手法の列挙と実績と世界への応用

　④各種地球高温化災害による被害総額とGDPとの対比

　⑤その他の温暖化ガスの排出推移

　⑥今後重要となる手法の研究開発状況（省エネルギー世界への移行）　等

　⑦戦争行為によるCO_2排出量

多くのデータは、インターネット等で探せば出てきますが、全人類共通データとして確実に情報集積・広報することが必須と考えます。

2）マイクロプラスチックの発生があり生物界への被害が広がり始めた

筆者の技術者としての人生の大半は、新しいプラスチックの開発、プラスチックの新しい用途開発・加工開発　等のプラスチックに関わってきた。現在人工的な自然破壊が進まないプラスチックが自然界に廃棄され、マイクロプラスチック化し海洋汚染が進み、これを食べてしまう魚類や鳥類に深刻な被害が出始め生物多様性を喪失させることになりつつあり、

又その魚類・鳥類を食べる人類を含む動物にも影響が出始めていると報道されています。この中には、マイクロプラスチックが、PCB、ダイオキシン、DDT等の残留性有機化学物質を取り込み易いことがあります。有害有機化学物質の運び屋になるとの考えです。

筆者は、ポリエチレンの極薄フィルムの開発にもマネジャーとして関与しており、強度のある極薄フィルムの少ない材料で有用な包装材料となる利点を評価し積極的な開発を進めました。この頃農業用のプラスチックフィルムにおいて、使用後放置廃棄されると長期にわたりプラスチックが存在し農業に害になるとはその時すでに認識しており、使用済みのプラスチックは廃棄物として回収する必要があると認識し行動していました。自然環境で分解する生分解性プラスチックの開発も行ったがコスト・性能面から当時は広げられなかった。残念ながら、マイクロプラスチックへの対応には現役時代には思いつかなかった。

日本ではプラスチック類の回収は進んでおり、比較的被害は少なくなっているが、世界を見ると不要プラスチック製品を自然界に捨てるところは多く行われている。人類として、**プラスチック類の回収再利用、処理は注力・徹底せねばならないと強く思うのです**。開発に注力していた時点では、この自然界へ影響を十分認識していなかったのは事実であり、プラスチックの開発に注力したものとして、今後の廃棄物の処理を見守る必要があると強く認識し心が痛むことになっていま

す。2023年1月7日朝日新聞朝刊に「プラ規制ゴミ規制条約へ」との記事があり、プラスチックは全世界で現在までに92億トン作られ、使用中及びリサイクルが36億トン、焼却10億トン、廃棄が53億トンになっている。陸に廃棄・埋め立てされたプラスチック53億トンがマイクロプラスチック化して、部分的にでも雨水により継続して流れ出し続けることを大変危惧します。**この問題は調査が進めばもっと深刻な影響が出るものと予測し、現時点において埋立（廃棄）しないこと、当然ながら使用済みプラスチック製品を自然界に捨てないことを決定して、全世界で効果的に実行する必要があると考えます。**又生分解性プラスチックの開発もその影響を確実に把握しつつ大いに進めて、少しでも良い地球環境の将来を求めることが必要です。自分が技術に携わった問題だけに、心の痛みは大きい。

現在この問題は、国際条約の締結に向かって進んでおり、「2040年までにプラスチック汚染ゼロ」を掲げているが、目標を作ると共に、その実行状態の監視及び測定と必要なアクションを継続して取ることが大切です。プラスチックの開発が、進み始めた時点では、「自然界への負の側面（影響）」は予測できなかったかと考えるが、繰り返しになるが、筆者は当事者として全く考慮しなかったことを痛切に反省します。

【技術者が情報を確実にして広報すべきと考えること】

 ①プラスチックの生産量と廃棄量／埋立量（ゼロ目標）を明確にすること。

特に後進国では難しい状況があると予測されるが徹底が必要である。

世界のプラスチックメーカーは、データ収集と広報の責任があると考える。

②被害実態は、まだ研究中の内容が多いと判断するが、全世界の情報を集約・広報を行う事が必要である。

3）現状の原子力発電の運用を憂慮し、関連技術者は自然界に与える負の側面（影響）を定量的に公表して頂く必要があります

「原子力発電」に取り組む技術者の皆様には、「自然界への負の側面（影響）」を厳しく評価し、今の技術レベルで継続することの可否及び使用限界を明確にすべきと考えます。自然界への「負の側面（影響）」が大きく、人類の将来を妨げる事が明確になれば、何も今のまま使い続ける必要はありません。人類はエネルギー不足を抱えるかもしれないが一時的に我慢すれば良いと考えます。

「原子力発電」を世に送り出した技術者は、人類に大きなエネルギー源をもたらし貢献したことは確かであるが、「自然界に与える負の側面（影響）」の情報提供を十分実施してこなかったと考えます。筆者の情報収集力が乏しくそう思っているかもしれませんが、その節はもう一度情報を示して頂きたいと考えます。

具体的には、

①不慮の事故時に放射能を飛散させないための技術の確立が不十分であった（50年足らずの間に3件発生した。スリーマイル（アメリカ）、チェルノブイリ（ロシア）、福島（日本））。

②高度の放射能を有する核燃料産業廃棄物を多量に排出しその無害化に数万年かかる状態のまま世に送り出していること（日本では保管する場所すら決まっていない）。もし今のまま継続したとすると、世界で発生する核燃料産業廃棄物による地下保管場所が又その量がどれぐらいになるのか明らかにすることです。人類がコントロール出来ない地殻変動で流出の危険があると考えています。

③最近表面化した我欲の権力者による原子力発電への武力攻撃が想定されることに対する対応は、発生すれば放射能汚染を防止できないのではないかと考えますが如何でしょうか。

以上③項目について、明確にする必要があると考えます。

筆者は、原子力発電の技術者の方は、そんなこと分かって実行していると言われるだろうと想像しますが、ぜひその技術情報を明確にし世界の共通認識となる処置を取ってもらいたいです。使用すれば確実に地球環境に取り返しのつかない悪影響をもたらすのであれば、使用を禁止する行動をとってもらいたいのです。少なくとも無期限・無制限にに使用することはできないことを明確にするべきと筆者は考えます。

技術立国のドイツでは、日本における福島第一原子力発電爆

発事故後、原子力発電を稼働させない決定をして取り組んでおり英断であると筆者は評価しています。大きな負の側面（影響）を残し続ける原子力発電が無くても人類の存続には影響はないとの考えなのです。人類の一つの見識が成り立つことを期待したいです。核融合を含め研究し、地球環境に悪影響を殆どもたらさない技術が出来上がることを期待はしています。

コミック「宇宙戦艦ヤマト」（1974年アニメ）が、約200年後の地球が放射能汚染し人類滅亡に直面しわずかに地下で生存する状況に追い込まれ、遠い宇宙からスターシャの有難いメッセージを受けて放射能除去装置を受け取りの旅に出るお話は、地球に住む人類の限界を暗示しています。物語で地球を放射能攻撃するデスラー役は本当は地球上におり、別宇宙に存在するスターシャの役割も自ら行わなければならないと思います。コミックなどバカげていると思われるかもしれませんが、筆者には本質をついていると思われます。

福島第一原子力発電爆発事故（2011年3月11日）の詳細は報告されていますが、事故が起きれば地球環境に巨大な悪影響を及ぼすことが分かっている装置のあり方が問題と考えます。地震により設備損傷は国際原子力評価尺度レベル7（深刻な事故）であったが、これが発生した時に起きる事故を防止する技術が不完全であった。簡単に言えば、原子炉に損傷が発生

した時、放射能被害を外部にもたらさないための準備のレベルがその被害を防止が出来るレベルになかったのである。地震で設備が故障した後（外部電源を失う）、事故を防ぐために炉心の冷却用ジーゼル発電が仕組まれた通り起動したが、1時間遅れでやってきた津波で全電源喪出が起こり、後は炉心溶融に進み爆発が起こっています。要するにこのような事故が発生した時の対応力が不十分であったのです。この状況は深刻な反省をするとともに、十分な対応が出来ない場合はこのような装置を作らないことです。

更に、原子力発電所についてはウクライナ紛争においてミサイル攻撃することが話題となっているが、そんなことが行われる人間社会なら、原子力発電そのものが存在できなくなる。下記はあくまでも、筆者の独断の問題提起です。

【技術者が情報を確実にして広報すべきと考えること】

世界では、IAEAが情報を整理して保有していると思うが、自然界への負の側面（影響）を可能な限り定量的に公にしてもらいたい。出来なければ、かかわりあっている技術者が公表してもらいたい。

①放射能廃棄物の量と貯蔵方法を整理し危険度を分かる限り明確にすること。

1000年継続すると発生する放射能廃棄物の量とその放射能廃棄物の10％が地球上にバラまかれたときのダメージ予測をすること。いつまで原子力発電を実行できるかの答えになると考える。

　②もし第3次世界大戦が勃発し、今ある原子力発電所の50%
　　が攻撃を受け核爆発を起こした時の人類の受ける放射能
　　被害のレベルを一例として、公表頂くと考えやすいと思
　　います。

4）核兵器をどう処理するか、人類に課せられた大きな課題
　　である

第2次世界大戦末期に、各陣営は新たな戦争用武器として。原
子爆弾の研究を行い、それに最初に成功したアメリカが広島
と長崎に投下した。人類は経験したことのない過酷な状況を
経験したが、アメリカ兵の被害を少なくする上で効果があっ
たとの肯定的な意見も多かった。

一部の国家ではこれを戦略として使っているのが事実である。
核爆弾を作った技術者及び後継者たちは、上島個人の意見と
しては、「作ってはならない技術を作ってしまった」との心で
使わせないためのあらゆる努力を貫いてもらいたい。また今
後核爆弾の進化を進める技術者が出てこないことを強く希望
する。更に、1万数千発もある核兵器を使った場合、地球環境
はどうなるのか、明確な情報を提示する必要があります。多
分生命の絶滅が結論と思うが、明らかにしておく責任がある
と考えます。

【技術者が情報を確実にして広報すべきと考えること】
　①核戦争が勃発し、世界が保持している核爆弾のうち、約
　　半数の1万発を使用した場合の、地球上の放射能の強さと

人類生存の可能性の予測。

5）PFAS（有機フッ素化合物）による影響を早く収束せよ
PFASは、4700種にも及ぶ有機フッ素化合物の総称で、自然
界で殆ど分解されず「永遠の化学物質」と呼ばれ、生物蓄積
性があり、発がん性の他に生殖や免疫機能への影響が指摘さ
れている。ナノオーダーという余りに少量で害となることが
分かり始めたのである。飲料水に含まれる恐れがあるのが最
も危険である。人類に与える影響が大きくなる恐れが高いと
筆者は考える。

PFASは、耐水性、耐油性、防汚性等優れた特性を持つため、
コーティング剤、界面活性剤、表面処理剤材として有効に使
用されてきた。特に半導体製造工程の冷媒、泡消火剤、フラ
イパンのコーティング等に使用されている。

米環境保護局が代表的なPFOSとPFOAの合計の飲料水の基
準値を4ナノグラムに設定した。今までは70ナノグラムを勧告
値としてきた。日本では2020年に毎日20lの水を飲んでも大丈
夫なレベルとして50ナノグラムを定めている。2022年4月、
3Mがフロリナート（PFASの代表的化合物で半導体製造に使
用）のベルギー工場を製造停止したと報告がある。世界はこ
の化合物の扱いをめぐって、多くの取り組みを行いつつあり、
「自然界への負の側面（影響）」を止めることが必要になって
いる。

日本の天然水供給メーカー3社（筆者の飲んでいる天然水メー

カーである）に問い合わせたところ、現時点では、情報がない組織、日本の規制値を知っているが具体的な数字は明確にしない組織、測定はしているが公表しない組織　等バラバラ対応であり、この危機に対応が定まっていない。多くの国民の飲料水に関わる問題であり、非常に危険な状況である。又、日本における地下水の中に含まれるPFOS及びPFOAの含量が50ナノグラムを超える例は既にいくつか公表されていることも合わせて考慮する必要がある。

本件は、正に人類の新製品・新技術に対する対応が後手後手に回っている典型的な例と言える。関連技術者は、真実に基づき速やかな対応をして頂きたい。飲料水に含まれる恐れがあり、決して被害者が続発してからでは、取り返しのつかない事態を招くと考える。

【技術者が情報を確実にして広報すべきと考えること】

　①世界に散らばる今ある情報を、速やかに一元管理し、過去の使用歴（場所、量等）及びその有害性を見積り、安全な世界基準を実行に移すこと。

　②少なくとも、世界的な飲料水管理を速やかに実行に移すこと。

　③このものを開発し使用してきた技術者は、新製品・新技術を世に送り出す時の経緯を見直し、「自然界への負に側面（影響）」の有無を配慮したか、そのプロセスは良かったか考察し報告すべきである。安全を確認できないものを急ぎ使用したとすれば大いに反省すべきである。

6）異常事象に対して、冷静に適切な対応を取り、危機を逃れる行動を取ろう。

1）〜5）に述べたような人類の生存に現時点で直接関係するほどではないが、異常事象といえるものが数多く発生している。これらに対しても、適切な技術判断をして対応することが必要と考える。

日本は、地球上の温帯地方にあり、九州から北海道まで細長く緯度は広いため、高温化による影響を一気に受けにくい状況であり、変化に対する対応を取るのに余裕があるとも考えます。地域的には、アフリカ、地中海沿岸、南米等に激しい気候変動による被害が続出していることを考慮する必要があると考えます。

①本年のサケの収穫も、例年の20％以下となるところが東日本では多くなるとの予測です。理由は地球高温化で海水の温度も上昇したため、サケが元の川に戻って来れず、より高緯度のところに移動するであろうとの推測です。これが真実であれば、日本におけるサケの捕獲量は激減することになります。サケにとっては生存域が狭まる大問題と考えますが、魚の生態系全般にかかわる問題であり**関連技術者は影響を生物種の減少に絡む視点として、情報収集し、見通しを公表頂きたい。**

②新潟県を中心とする地域が、8月に雨が降らず、干ばつ状態となり、米の品質・収穫に悪影響を及ぼしていますが、日本全体の収穫量には大きな影響はないようです。現実の農

家の方の収入源となり厳しい現実があると思います。**日本における食糧生産域がどう変化するのか、技術者はしっかり見定めておく必要があります。必要なら、必要量の水供給が出来る方法を用意することが大切と考えます。**

③最近のTV報道で、北海道のサツマイモが大豊作を続けており、海外に輸出もできるとのことです。本年度の気温が高く大きく成長できたと報道されています。逆に北海道産玉ねぎの保存状態が悪く激減のようです。**技術者は高温化が1.1℃から2℃に進んだ時、少なくとも日本全体における主要食品のへの影響を見定めてもらいたいと考えます。**

④今年は、クマ、イノシシ、シカなどによる被害が関東から東北地方にかけてすさまじく発生しています。言うまでもなく、クマの生息域におけるドングリなどの冬眠前のエサが十分とれないために、人里に侵入してきたようです。**大部分の地球の生命体が地球高温化の影響をどの程度受けているか、関連技術者の皆様には、考えをまとめて頂き公表してほしいと思います。**結論は高温化を止めねばならないだと思いますが、どれぐらいの速度で止めねばならないかも重要と考えます。

⑤微生物、細菌の世界では、コロナが3年以上人類を苦しめてきました。若者も後遺症に苦しんでいる人が多くおられるようですが。老齢の還暦技術者である筆者も、ワクチンを打つ度に体力が低下しているのではないかと疑っています。真実の事は分かりませんが、**地球の環境変化が、この世界**

にどんな恐ろしい病原菌をもたらすことになるのか、そう
ならないように手を打つことを関連技術者さんにお願いし
ておきたいと思います。

**最後に、様々な分野の技術者様、人類が安定して進化してい
けるように、様々な事象に危険を抽出して「自然界への負の
側面（影響）」をコントロール頂き、惑星限界が来るのを防い
で頂くことを、お願いをしておきたいと思います。**

2-2-5　ISOマネジメントシステムは"技術のこころ"に通じる

筆者が、ISOMS（ISOマネジメントシステム）の審査に取り
組んだきっかけは、「ISOMS審査が、経営品質の向上を目指
すことが出来ること」を知り、新製品・新技術を生み出す技
術者の仕事と認識したことによります。

22年間の審査員生活において、3審査機関（様々な運営であ
る）に所属し、1200組織の審査を行い、多くはその組織のト
ップと経営品質の話を様々に実行してきました。その内容は
"技術のこころ"に反映していると思っています。

最も大事な話は、「規格要求事項が世界の状況を鑑みて数年単
位で改訂されること」及び「様々な環境の違う国々において
同じ規格が適用されることです。その運用はそれぞれの国の
環境を反映したものになるとはいえ、根本は同一なのです」。
数多くの国々が、国益を重視して様々に争う今の姿は、悲惨
な結末を人類は迎える事を予見させます。そんな中で共通の

理念に基づき運営するは、極めて重要な事と言えます。しかるべきPDCAを確実にすれば、ご提案している共通の"技術のこころ"を実現するに役立つと考えます。尚、私のISOMS審査の心は、「ISOマネジメントシステムの安定と進化と高有効性化」（星雲社　2022年11月発行）に記しております。

2-2-6　正しきにつくが実行できない時─日本人の権力に対する弱さを悟った件

（その1）

筆者が技術者を行っている間に、「自動車分野で、リコールして修理しなければならない案件が10年以上にわたって隠蔽された後発覚している」、「ビルの振動防止に使うゴム製品の機能が規格を下回っているのに合格として数年出荷されていた」、「排ガス規制に適合していないエンジンが合格品として出荷使用されていた」、等々の技術上の誤った処置が企業において行われていたことが報道されてきました。これらの内容は、適切な安全な製品を世の中に送り出すために作ったルールを組織の利益のために改竄を指示するものがおり技術者はそれに従ったと考えられます。実際その測定に当たった技術者が改竄したかどうかはわかりませんが、いずれにしても上司の命令により実施されたのです。改竄をした後その任に当たった技術者はどんな心で自分の人生を過ごしたかを想像するといたたまれない気がします。

筆者が、ISOの審査員を始めた頃、1件のみであるが、材料の

衝撃強度のデータ改竄に遭遇したことがあります。余りのことに絶句しISO規格の登録に値しないと考え組織の管理責任者と激しく対話したことがありますが、業界の常識との認識の違いでした。

技術ではないが同じことが政治でも起きています。国有地払い下げに関わる国の記録を財務省が改竄を命令し、実行された職員の方が自殺されるという悲劇が起こっています（森友学園問題）。「その職員の方は国民の為に仕事をしている」と常日頃仰っておられた立派な公務員とお見受けしたが、改竄を指示され耐えられずその内容を記録されました。

これらの内容は社会を根底から覆し、携わった人々の人生を真っ暗にするものであり、又解決しておかないと社会に損害を与える事であり決して容認できませんが、**現実の日本の中で、その後も次々発覚すること及びそのプロセスが外部にまで明確にならない風土を考えると権力に対する弱さを日本人は持っていると思わざるを得ないのです。正しきにつかないことを不幸にして行った技術者は脱皮することが必要と考えます。**

私は時代劇が大好きで、後半生は見続けています。実に勧善懲悪の考えがテーマになっているものが多いです。暴れん坊将軍、水戸黄門、大岡越前、遠山の金さん、剣客商売、鬼平、必殺仕掛人　等々です。時の施政者が悪を切るものでは必ず庶民とのつながりが（庶民の望みをかなえる）あり、又庶民の協力が描かれる。さりながら出てくる悪人・悪事には、我

欲を募らせるものが限りなく出てくることをうかがわせるのです。又欲に絡んで加担者も実に多い。日本人全体の心の中には、悪事を行うものその加担者は尽きることはないが、決して野放しにしないとの心が示されていると思います。

（その2）
自分の経験の中で生じた内容であり、私の日本人観を権力に弱い民族に変えた出来事です。事実ではない物語として記載することをお断りしておきます。

筆者が事業部の技術開発を総括する役職にいた時、職階上位の別組織長が、他技術組織の自組織への移転を考え担当部長の私には話さずに根回しをし始めました。漏れ聞いた内容の余りの不適切さに成立しないと思い特別の対応をしなかったところ、10名強の人員を集めた会議を設定し筆者にも出席要請が来ました。事前にその内容の不適切さを打ち合わせ思い止まって頂こうと思い出席者のリーダークラスと意見交換をしていました。

その会議において別組織長が10分ほど話したのち、少し静寂のあと、一人の若手が「それではよろしくお願いします」と発言したのに驚いたが、もっと驚いたのは続いて続々出席者が同じセリフを言い、この計画を止める打ち合わせをしていた責任者まで同調しました。筆者ともう一人でその計画の不適切さをいくつかお話しし、その場での結論を止めましたが、正しきにつくと思っていた日本人感が、大局は権力に流され

るとする考えに変わった出来事でした。

最終的に筆者は本来の職務権限者と対話し不適切提案を止めて頂きましたが、その過程で妥協を進めるように私の将来が危ういと複数人よりアドバイスがありました。熟慮の上、自らの出世欲は捨て「正しきにつく」を選択しました。出席者の1名があの時は孤立させて悪かったとの一言がありました。私の組織での位置付けはそれを契機に明らかに変わっていきましたが、付記に記載したように塞翁が馬が新しい道を開いてくれました。権力欲・我欲をわがものにして思うとおりに振舞いたいとの心を持つ者も必ず現れますが、技術者たるもの「正しきにつく」を貫くことが大切であるとの意見です。

2-2-7　人生の縁を断った二人

60年の技術者人生の中で、技術で携わった二人の先輩と人生の縁を切りました。D氏とS氏である。自分の主張を通すために、技術内容及びその評価を都合よく曲げて平然と発言し行動する蛮行を一貫して行っていることを目撃した二人である。技術の正しさを無視し、自分の意見を通すためのツールにするために技術の正しさを捻じ曲げて使っていたのである。その他に、今思ってもぞっとするパワハラ、裏工作、弱者へのマインドコントロール、会議での虚偽発言等々であった。これ以上の詳細は、個人に関わることなので述べないが、上島も激しいところのある人間だったと驚きをもって今振り返るが、良く戦ったと思い後悔はないのです。

現役技術者さん、若い技術者さん、もしこのようなものに出会ったら断固たる態度で排除することを実行してもらいたいと思います。

2-2-8　人間はミスから逃れられない

「人間は自らの行動からミスを消し去ることは出来ない」は、真実と考えています。勿論ミスのしやすさは人によって変わりますし、活動の内容によっても当然違いますが、私はミスしないと言い切れる人はいないと思っています。

<u>人のミスが、大きな事故や自然界への大きな負の側面（影響）をもたらすと判断した場合は、技術の仕組みとして、そのミスを止める仕組みを人間の活動以外で構築するが正しい技術のあり方と考えます。</u>

2024年1月2日、羽田空港において滑走路に止まっていた海保機に日航機が突っ込んだ事故が起きました。5人の死者と飛行機2台が燃え尽きました。奇跡ともいえる乗客退避が出来ため人的被害の拡大は食い止めました。TVニュースを見ていると、海保機の機長と副長の判断と管制官の指示が異なっていました。このようなことは人間の活動である限りゼロ化は出来ないのです。又その対策として、「NO.1という用語を使わない」、「滑走路監視機器の常時監視の人員を配置する」等の人間の活動の改善が報道されていますがそれはそれで進めれば良いが、本当に必要なのは、人間の活動以外の防止策を

設定する必要があるのです。例えば、離着陸しようとする時、滑走路に人的活動以外の方法で障害物の有無を確認しもしあれば、離着陸許可が出来ない仕組みとすることです。暗くて見えなかったでは話にならないのです。10年間で、滑走路に関する重大アクシデントが23件報告されており、この処置は取る必要があると主張します。

筆者は詳細を知りませんが、日本の新幹線には自動列車制御装置及び列車集中制御装置があり、これは人間の活動外の安全施策と考えますが、今まで事故はなく推移しており技術が実行した対策と言えるのかと考えます。

化学物質には、ホスゲン、塩素などの有害なものがります。自分の記憶の中にホスゲンの大漏洩がインドであり莫大な人的被害が出ています。日本でも塩素のタンクからの大漏洩がありました。人の活動によるコントロールだけでは、不十分です。原子炉の操作ミス、船舶の衝突回避なども候補と考えます。

いずれの分野においても該当する技術者は、人間のミスが巨大な損失や悲劇につながる時は、人的活動以外の方法で防止する必要があることを自覚して頂きたいと主張します。

3. 日本・世界の将来に向けての提言

3-1
人類の現状をありのままに正しく認識しよう

数千年の人類の歴史において、緩やかな進化を遂げていた人類は、イギリスに始まる産業革命を契機に、この200年間、急速に大きな変化をすることとなった。重複することになるが現状を、整理しておきます。

①10億人以下（産業革命始まる、1750-1840年）だった**世界人口は、25億人（1950年）、50億人（1987年）、60億人（1998年）、70億人（2011年）、80億人（2022年）と急激に増え続け産業革命前の約10倍となっている。**言うまでもなくこの人口増は、衣食住に必要な物資が増大し且つその活動も大きくなり自然界への負荷が大きくなっている。

今後も増加を続け120億ぐらいにまで増えるとの予測もあるが、筆者は地球高温化の影響もあり食料不足・生活環境の悪いところからの逃避が激しくなっており、今までの様に人口増を続けることは出来ないと予測する。

尚、人間一人が出すCO_2の発生量は、約0.4t/年である。80億人では36億トン/年となる。CO_2排出量の9割は、人間の活動により排出されていることが分る。

②産業革命による象徴的な技術・製品は、化石燃料石炭の使用による蒸気機関車であった。その後化石燃料は石油・天然ガスと種類と量を急拡大し、又技術進歩も、列車・自動車・航空機の移動手段、天然素材から人工素材へ材料変換による多彩な製品、スマホ等の通信手段、パソコン、人工知能（AI）による技術力の変貌　等々の運用があり、**それらの技術・製品の実現のために「自然界に与える負の側面（影響）」が、いろいろな点で惑星限界の危機をもたらしつつあるのが現状とみている。**

現在国際的な取り組みには、国連を主体とし、国連の15の専門機関（農業、電気通信、工業、知的財産、保険、郵便、労働、銀行グループ、海事気象、通貨基金、国際司法等々）、他が活動しているが、**多くの場合大国に拒否権があり、加盟は各国が独自に決めており、地球全体から見ると必要な実行力に乏しい状況と筆者は考える。**

その中でも地球高温化につながっているCO_2ガス濃度の増加危機に対して、2050年カーボンニュートラルが計画されているが、これには化石燃料をゼロとし再生エネルギーで必要なエネルギーを賄うことが要件になると考えるが、実現には石油産出国、石炭産出国、天然ガス産出国は、それによる収入を国家財源として運営しており、技術的にも政治的にも大きな変革となることを考えると容易ではない。

植物以外に、濃厚CO_2から太陽光等を使ってエネルギー代替物質を作り出す技術を人類が開発出来たとしても化石燃

料産出国の変化は大きなものになる。

③**地球温度の上昇をもたらす炭酸ガスの濃度は、ここ30年は
毎年約2ppm以上増え続け、417.9ppm（2022年）に到達し
産業革命前から100ppm以上増えた。**気温は産業革命後1.1
℃上昇し、2050年にカーボンニュートラルが達成できても、
1.5～2.0℃に達する推測である。2度位の気温の上昇はたい
したことではないと思う方もいるかもしれないが、**異常気
象は局所的に生じるために、発生した場所・時の被害はそ
の地域では甚大であり、**食料不足・居住地減少・高温によ
る身体障害等が数倍の温度差でその激しさを増すと予測さ
れ、又2023年の現状はそれを示している。上島は学生時代
を京都で過ごしているが、その夏の暑さで31～32℃の猛暑
と言われたことを記憶するが、その60年後の今年は37～38
℃とおよそ6℃も高くなっているのである。

④**グテーレス国連事務総長は、2023年「地球沸騰化（Global
boiling）」の言葉を表明した。地球の気温上昇を止めよう
とする世界の動きが不十分との認識を示し、各国に一層の
対策・活動を求めたものと考える。**日本においても、地球
の温度上昇は地球の歴史の中で定期的に繰り返している高
温期と氷河期の一部と考える人がいる、又気温上昇が継続
するとは真剣に考えていない人々が多い、毎日の楽しさに
気をとられ高温化を考慮しない人がいるのが実情である。

これらが世界的に対策が進行しない原因となっている。世界に責任を持っているグテーレス国連事務総長のいら立ちの心に現れていると考え、筆者も同じ見解である。

⑤その上こんな自然界への配慮が求められる厳しい状況の中でも、指導者の我欲で他国を武力攻撃し、殺人・破壊・核兵器脅迫が進行し、発展途上国での武力衝突も起きている。環境に対する大きな悪影響となっていることは明らかであるが、世界はこれらを防止する有効な手段を持たないのである。いつまでもこんなことをしていてよいはずがなく、**拒否権を持った国々の有り様をめぐって国連の改革が叫ばれているがこれからどう解決するかが人類の最大の課題となっていると思える。人類に許される時間は多くないと考えます。**

これらの状況は、地球高温化だけにとどまらず、マイクロプラスチックの被害、原子力発電における事故時に加えて常時発生する廃棄物による放射能汚染、微生物界の変化による被害（鳥の世界を襲っている鳥インフルエンザの猛威）、PFASによる飲料水汚染、等々人類が懸命に努力しても危機を乗り越えれるかどうか厳しい問題が多いのが現状である。

又、同事務総長は、アフリカの食糧事情改善のためウクライナ小麦の輸出に注力したが、ロシアの反対で挫折してしまった。カーボンニュートラルに向けての国際会議、核兵

器廃絶に向けての国際会議もその効果がどれだけあるか不
明である。

SDGsをはじめ、プラスチック問題、温暖化被害、最近・
微生物による被害等、数多くの国際組織（国連の専門機関
だけでも15ある）が懸命の努力をしていることには、深い
感謝の心とその成果を期待するものであるが、**自然界の事**
を十分理解できない現状の人類が、殆ど後手後手の対応し
か出来ないまま窮地に追い詰められている状況にあると考
える。

⑥宇宙開発に、着手してきて半世紀が経ち、地球の周りをロ
ケット、人工衛星等の残骸が数多く周遊しており、清掃し
ないと今後の開発に悪影響が出ることが懸念されているが、
開発国が独自行動を取っており安全ルールが必要になって
いる。ここでも各国の指導者の我欲が現れている。人類共
通の開発として運用できる改善が必須である。

⑦我欲を振り回し、少しでも自分に有利になろうとする国々
が数多くなっている現在、**国際的な協調の仕組みと運用が**
出来るかが、人類の将来を明るいものに出来るかどうかの
瀬戸際であり、極めて危険な状況にある。第3次世界大戦の
直前状況ともおもえる。第2次世界大戦までは、結果がどう
であれ、惑星限界をもたらすことは無かったが、核兵器を
2万発も各国が保有する状況ではもし使われれば、惑星限界

を迎える事は確実と思える。

⑧世界共通の課題を強力に実行するために、全ての国が参加した人類の英知が集まった世界政府とその執行機関を作ることを考えてはどうかと思う。各国の自由度は最大限尊重しつつ、惑星限界に至る恐れのある世界共通の問題を強力に実行するのである。例えば、カーボンニュートラルの実行のための具体的な施策を決定指導するのである。ここで決定した項目の実施には拒否権がない姿にせねばならない。もし実行に移さず反対の行動を取るものが出たら、余裕をもって説得して従わせる強制力を持たさねばならない。

⑨世界には7大宗教及びその他宗教もあり、それぞれに特長ある仕組み考え方がある。それらは尊重しなければならないことは当然ながら、その差が大きな社会問題や、国際紛争、暴力行為等が発生する場合は対処が必要と考える。世界宗教会議が開かれているが、積極的な紛争防止と協調重視が実現することを期待したい。

⑩世界はまさに危機に直面している。人類は、ゆがみあい相争い、独裁者の勝手な行動を止められない、大国の拒否権行使による国際的な決定が実行されない　等々があり、二段飛躍し、賢くならねばならないことを厳しく主張する。

3-2
日本の現状をどう見るか

3-2-1　筆者の考える現状の日本の強み7項目

筆者は、日本は様々な優れた強みを持っていると考える。以下にその内容を示すが、これ以外にももっと大事な強みを感じておられる方々がおられると予想します。

①日本人の気質

　誠実、勤勉、協調性、可能なら困った人に手を差し伸べる心、謙虚さ、自分の汚したものは自分で清潔に戻す

②美観と使い勝手の良い技術・製品群を開発してきた

③一部の技術（自動車、機械、部品、健康食品等）に強さが残っていると評価する

④農業製品の質が高い。農芸化学も力強い

⑤若者のスポーツへの注力と強さがある

⑥歴史に彩られた素晴らしい歴史遺産がある

⑦仏教思想が日本人の根底を流れており、安定をもたらしている

①の誠実さは特に重要である。「ウソをつかない／本当のことを言う／人をだまさない」民族だと評価して安心して近寄ってくれる外国の人が多くいると思う。G7とは一定の信頼関係が出来ているが、これに加えて中進国、後進国との人々との

親近感を得ることが出来るはずである。40年も前の話ですが、ウィーンに初めて行った時、歩きすぎて方向感覚を失った時、やっとお会いできた中年の女性につたない英語で道を尋ねた時、実に丁寧に親切に親近感を持ってにこやかに教えていただきました。オーストラリア国民の外国人に対する暖かさを知り好感度が一度に高まりました。日本の皆様も外国人が困っていたら積極的に助けて頂いておられると思います。

②の美観と使い勝手の良い、信頼性のある新製品・新技術を開発してきたことは"made in Japan"の優れた特長である。美観の例を一つ延べておく。フランスの会社から技術導入して、市場開発を行っていた時の話である。自動車エンジンルーム内のラヂエーターカバー用のナイロン66のグレード開発を行った時、技術導入先の製品サンプルと共に30%ガラス繊維入りのグレードであった。製品に要求される性能はすべて満足していたが、成型品の表面にガラス繊維の浮き出しが目立っており、そのままでは日本では採用されず改善の要請があった。成型流動性の良い材料をブレンドすることにより、表面状態を改良した。ラジエーターカバーは、エンジンルーム内にあり外部から見えないのでその改良は必要ないとの導入先の見解であった。日本には機能を実現する要求事項を満たすほかに、美観を重視する考えが加わっている。使い勝手が少しでも良いものの要請も同様である。

⑥の独立した島国の日本は、固有の発展を遂げ歴史の資産は素晴らしいものがあります。世界の人々は人類の良いものを見たい、もっと見たいと思うこと必定です。歴史の遺産を丁寧に扱い保存しその心を示しつつ、観光日本の魅力を発揮できる備えを続けて頂きたい。世界で生まれた人が日本の文化に触れることを喜んでいただけると良い。日本の力になると考えます。

⑤の最近の日本の若者のスポーツの世界での活躍ぶりは、本当に頼もしい。世界のトップに立つ人及びチームも数多く輩出している。スポーツは人類共通の財産であり、等しく一つのルールでプレーし、有意義に交流し心通わせることが出来るツールである。世界平和のためになくてはならないものであり、日本の存在感も高めていると考えます。これからも継続して頂きたい。技術力を深く追及する心構えはここでも息づいていると考えます。

④の消費者の立場から、日本の農業製品は種類も多く豊かである。主食のお米は地域の特長を生かしたブランド米が多く選べる。おみかんも産地により味わいが違う。玉ねぎ、ジャガイモも多種類である。農業製品の選択の余地がある日本の状況に満足している人も多いと思う。
日本の農芸化学の力は強いと信じるので、主要製品については規模の拡大及び機械化により生産能力を高めることが課題

と考えています。

⑦日本中どこへ行っても、お寺、神社がある国である。筆者は数多くある宗教の中でも仏教は争いが少ないと思っている。お釈迦様の仏教を創設した時の考えは、自らを修行し、制御することにより、この世の苦しみと縁を切った心境になることであり、他者との戦いに導くものではないのが理由と考えます。必然的に仏教徒は、暴力から縁が切れるのです。日本の強みです。

この原稿を書き終わってから、NHKのクローズアップ現代で、日本の小中学校で採用されている教育方針の中の、子供たちが自らの発想法でルールを決めて実行していく「特活」が、エジプトの教育界で採用され実行されている報道があった。見事な運用状態であった。これも大事な日本の強味と認識したので追記しておく。素晴らしいかな日本。

3-2-2　筆者の考える現状の日本の7弱点
①最強の工業国はもう無く、技術力が低下したことへの対応不十分

「JAPAN　AS　NO1」の本が出た頃（1978年）が日本のピークであったと思う。電気・電子、機械、自動車、素材等の分野において、新規技術開発の成果を挙げ続け、特許出願件数も高く、当時日本の安価な労働力を武器に目覚ましい活躍を

見せたのである。

その後、先進国が技術力を高めると共に、賃金の安い韓国、台湾、中国、東南アジア等の後進国の追い上げが急速に広まり、日本が難しい局面になっていったことは仕方がないが、現状はあまりにひどい。

特に半導体の凋落はすさまじい。日本の半導体シェアーは1980年では40％になっており、日本の電気電子メーカー6社がトップテンに入る状況であった。数年毎に起こる技術革新に乗り遅れ日米半導体協定の影響もあり、撤退、弱者連合等がありシェアーは10％まで低下している。地位を回復させようと次世代半導体の国産化を目指す「ラピダス」が官民合同で始まったが更なる微細化という技術革新が必要でありやさしくはない。

この間に日本技術開発力は質的変化が起こしてしまい最強の工業国としては通用しない深刻な事態を招いていると筆者は考えている。

まず、**ここ30年間日本のノーベル賞受賞者が異口同音に最初に述べてきたのは、「日本の基礎研究がおろそかになっている」である。** これは、政治が基礎研究よりお金に近い応用研究重視を言い出したことが影響していると筆者は考えている。技術に携わる者ならだれでもわかることだが、基礎研究があって、その成果の上に優れた応用研究が生まれるのであり、

基礎研究がおろそかになり根幹が崩れたのである。応用研究のみ重視しても技術は育たない。筆者の経験から、独自性のある根幹の技術競争力（素材・加工・用途等幅広い）が製品競争力であり収益量の源であることを強く認識しなければならないことを確信している。製品競争力（素材・加工・用途）の大本に、基礎研究があるのである。基礎研究に基づいた製品競争力は成果の大きな木になるのである。これは大変大きな問題である。筆者の考えの根拠の一つは、図1（104ページ）に説明している。政治と切り離した技術の進化に戻ると良い。政治は必要な資源を技術者が使える環境を整えると共に、技術の独自性を尊重し、成果を国の為に大いに使うことである。国の運営の立場から、日本として優位に立つ分野を望むのは政治の役割であるが、それに集中してはならないのである。これは筆者の信念ともいえる考えであり、異論のある方もおられるかもしれないと思う。

2022年12月9日の朝日新聞の朝刊社説に「日本学術会議改革独立性の維持こそ財産だ」という記事が載った。当然のことが主張されているのだが、時の政権が都合の悪いことを言う技術者を学術会議から締め出そうとすることを批判している。同じく2023年4月5日の同新聞の社説に「卓越大学」の新制度に対して「過度な介入を慎むべきだ」が出された。人類の進化は、技術、芸術、文化そして人権・政治がそれぞれ独立に発展してきたものである。時の権力者が自分の好きなように政治以外の分野でその発展を妨げるようなことはあって

はならないとの考えである。朝日新聞のこの二つの記事は、重要問題を明確にしており、筆者もこの考えに賛同である。東西冷戦で、共産主義国家の発展が技術力を含むあらゆる面で遅れ崩壊したことは、明確な証拠と思う。人類はその能力を様々な分野で進化させていけばこそ、いつまでも面白い世界を楽しめるように思う。

いくつかの知見をお話ししたい。

国産ジェット機を生産する計画（国も援助）をM社が長年行っていたが、断念したとのニュースである。軽量の炭素繊維素材を多用するエネルギー効率の良いジェット機開発と期待していたが、技術を完成できないという情けない結果である。日本の技術力無さを明確にしたがその失敗した原因の内容は公になっていない。

コロナ対応もひどい。コロナが世界で流行し3年経過する。日本からはワクチンはなかなか完成しなかった。治療薬もなかなか出てこなかった。日本の医療業界は何をしているのか聞きたい。朝日新聞朝刊には（2022年11月8日）、世界のコロナに関する技術情報数が報告されているが、G7で最下位でありアメリカの1/10にも及ばない状況である。**今後解決しなければならない事象に世界が共通で向かい合った時、日本は全く役立たない国になってしまっている。**

新しいロケットの開発が2回続けて失敗をしており、宇宙開発への寄与を確かなものにするために次は成功してもらいたい。

日本が地球を救う技術開発（化石燃料に依存しないエネルギー技術の開発・実績化）に重きをなせるか心配な限りである。上島は、大量に降り注ぐ太陽エネルギーと高濃度のCO_2炭酸ガスを使って効率よく化石燃料代替えが出来る技術がカギを握るのではないかと考える。<u>日本の技術者は、世界に貢献できるレベルを持っていると思っている筆者にとっては、技術陣が奮起することを期待するのである。</u>

悪いことばかり書いたが、現時点では良いことも相当ある。少し古くなったがISO細胞の発見と単離に成功し新しい医療技術の向上が見込める。トヨタの自動車産業の開発力は健在とみている。機械分野の強さは日本には残っており期待している。最近太陽光発電用のフレキシブルフィルムの開発の発表があった。この道は大いに期待している。

実に嬉しい記事（2023年11月28日朝日朝刊）を見つけた。「代数トポロジー」を研究する母校京大の27歳女性の準教授が国際的数学賞を受賞したとの情報である。まさに人類に新しい世界を切り開く基礎研究の成果の一つの出来事とお見受けした。日本の若者精進して下さい。

②PDCAの使い方が、日本人は決定的に下手である

目標が明確になっている場合は、PDCA ｛Plan—Do—Check—Act：計画—実行—評価—改善｝ は、その実行手段として大変有効なことは明確になっている。世界に広がったISOMS

（マネジメントシステム）はこの仕組みを採用している。日本の組織は、技術者になった60年前から「計画─実行」は比較的良く行われていたが、「評価─改善」をきちんと行うことが不十分であった。ISOMSを採用した企業にはこの手法がかなり浸透したと思っている。

次項の人口問題の取り組みを見ると極めて拙劣な状態にあると言わざるを得ない。手段とお金の使い方の論議はあるが、目標が明確でなく、従って施策の有効性の評価は出来ないのである。異次元の少子化対策とスローガンに近い実行内容だけでは、評価改善に全くつながらないのである。その他の問題も同様なものが多い。**定まった目標に取り組む時は、PDCAを日本社会に定着させる必要があると考える。**

③人口問題は政治の重要課題と考える

「日本の人口の激減が予想される」、「出生数は継続して減小し80万人（2022年）を切った」、「出生率は、低下し続け2070年には45万人となる（厚生省推計、令和5年）」等あたかも日本民族消滅予測がある。

筆者はこの状況判断を決して容認しない。 今から60年前の筆者が学生の頃、フランスは出生者率が小さくなっており国が無くなるという説があったが、その後フランスは立派に立ち直り、出生率2.0（2010年）となっている。（尚、2023年は、この値が1.68と低下しており大統領が対策を取ると発言して

いる。)

筆者は人口問題はきちんと取り組めば対処できるとの考えであり、そのために必要なことをする必要がある。

　①世界において日本が役割を果たしていくための人口はどうあるべきかを考え国民と対話し、共通意識を持つことである。

　②次いでそれを基に出生者数の目標を設定する。

　③この計画を担う若者達と対話し、要望を取り入れて具体的施策を定めること。

　④5年10年単位でその進捗を評価し、この計画を担う日本の若者と必要な施策の改善をするである。

要するに、この問題はPDCAの運用をきちんと実行することである。私の回りにいる若者の中にも、結婚しない／子供はいらないとする人が目立っていることは認識しているが、その人達はお金がない／一人の方が自由にできる等を主張する。その人たちには、今自分が過ごしている日本民族は親・子・孫とつないでいるから今の生活が出来るのであり、子供をつくらなかったらその母体になっている日本が無くなり、個人の今得られている環境はないということを認識してもらうと良い。個人の自由は尊重しなければならないが、今の生活が子供を産み育てるサイクルがあるからできることをよく認識してもらいたい。子育てに適した地方の取り組みも大変

有効と思う。

高齢化からくる社会問題は避けられないことであり、それらは適切な方法で対処するのであり、少子化（出生者数）が本当の問題である。

筆者が生まれた昭和15年ごろは、戦争で人が続々死んでおり、「産めや、増やせや」が国民の合言葉となっており、私も5人の子供のある家族であったが、決して多い方ではなく2桁の子供を育てていた夫婦もあった位である。私は人口が増えた方が良いと思っているわけではないが、先祖伝来の素晴らしい日本の文化を子供が生まれなくて消滅していくことがたまらなくさびしいだけである。又さらに言えば、日本の持っている「誠実」「勤勉」「暖かい社会を除く心」「戦後培ってきた戦争しない国」「技術開発力の強さ」「数々ある歴史遺産」等々、地球という惑星及び多くの国々に対して良い影響を与えられる国として一定の力を保持した姿で存続を希望するのである。本問題は、次項で具体的な提言をしたい。

④食料自給率が低いのは致命的な欠陥となっている

日本のカロリーベースの食糧自給率は38％位である。およそ70年前において、日本は資源がないのでそれを輸入し加工し製品の輸出を行って立国するのだと良く教育された。技術を磨き事実その通り実行し、日本は工業国として立派な位置付けを得ていた。今や技術の多くは発展してきた中進国に置き換わっていった。日本の工業製品が全滅したわけではないが、

食料を買い続けることは無理である。更に都合の悪いことは、地球温暖化の影響で世界の食糧事情は悪化し、飢餓に陥っている国が35か国あると報告されている。さらに進行すれば食料の奪い合いが始まると予測する。日本の農業は今すぐ自給率向上に舵を切ればまだ間に合うように思っている。すでに農家は高齢化が進み後継者がいなくて廃業が進んでいる。農業立国にすぐに舵を切らねばならない。市民菜園の仲間との話では、日本は自給率100%越えをする必要があるとの意見も多い。次項において筆者の私見を延べる。

⑤国民の実質賃金が、この20年間伸びず国際的にも低位である
表1に、物価の修正を加味した実質賃金の推移を示した。

表1　実質賃金指数の推移の国際比較（1997年＝100）

指数範囲	（2006年） 国名	（2016年） 国名（指数値）
130-140		スエーデン（138） オーストラリア（132）
120-130	イギリス	フランス（126） イギリス（製造業125） デンマーク（123）
110-120	スエーデン、フランス、オーストリア	ドイツ（116） アメリカ（115）
100-110	ドイツ、アメリカ	
100以下	（日本）	日本（90）

出典：oecd.stat より全労連が作成した図

1997年を100とし20年後の2016年のデータである。残念なが
ら、日本は90と低下しているのに対して、アメリカ（115）、
ドイツ（116）、イギリス（製造業125）、フランス（126）であ
り、アーストラリアは132で成長著しい。

表2は、2022年の平均年収であり、日本は2000年の18位から21
位に下がり、殆どの先進国より下で韓国（20位）、イタリア
（22位）と並んでいる。これを見て、日本国民の平均収入は低
く、国民一人一人の持つ力（豊かさと関係する）の総和が国
力になると考えると厳しい状況である。

表2　世界の平均年収（米ドル、2022年）

順位	国名	金額（万ドル）
1	スイス	9.7
4	米国	7.7
7	オーストリア	6.4
15	イギリス	5.0
17	ドイツ	4.7
19	フランス	4.4
20	韓国	3.6
21	日本	3.4
22	イタリア	3.3
30	チリ	2.0

出典：OECD作成資料（GLOBAL NOTE）のデータを加工

日本の実質賃金がここ20年横ばいから低下傾向であり上昇せず、その平均年収レベルも先進国群では最下位と言える状況である。経済素人の筆者には、この原因対策の条項は分からないが、世界貢献する国の国民としては課題と考える。筆者が働き盛りの30代40代では、企業の収益の内ある割合は従業員の給与に反映され、労働者は不満があれば経営者と春闘で戦い必要ならストライキも行った。毎年数％に賃金上昇があった。その結果国民は殆ど中間層と位置図けられる待遇を得ており、支援の必要な貧困層は少なかったのである。この30年は、企業の収益は主に配当及び社内留保に回され、お金のある所にお金が集まる政策を実行し続け、悲惨なことに国民の収入が先進国最低の位置まで落ち込んでしまったのである。**この30年間の施策の責任は、利益を従業員の給与に還元しなかった経営者、その要求をして戦わなかった労働組合、それを放置した（あるいは導いた）政治、その政治を継続させた国民全てにあると考える。これから最低10年以上かけて取り戻さねば、日本の将来は極めて危ういと主張する。**

政治をずっと眺めてきた筆者としては、吉田茂首相の長期にわたる日本の国作り、池田隼人首相の「所得倍増計画」（実現した）、田中角栄首相の「列島改造論」（日本からへき地が少なくなった）は、誠に日本を強くしてきたが、ここ30年間の政治は筆者としては見るべきものは無い。結果として国民の生活は厳しくなるばかりである。

⑥貧富の差が拡大している

日本の労働者約6000万人弱のうち、4割が非正規雇用となっており、両者には収入格差が大きく、低所得者層が多くなっています。さらに、生活保護受給者は、1990年代で最小60万所帯となり、現状は160万所帯強となりっています。母子家庭の貧しさが指摘されている場合もあります。そしてこのことが、人口の激減の一つの要因と考える。

⑦犯罪の起き方に異常なものを感じる

最近、新聞、テレビで報道される今までにない犯罪が多いことにびっくりしている。特殊詐欺と呼ばれ、手の込んだ高齢者を狙った電話を使う現金搾取がある。計画者と実行者が異なる。高級時計、貴金属を狙った白昼堂々の襲撃・強盗が多発している。報道で見た限り、筆者には普通の若者に見える。SNSを使った闇バイトに言葉巧みに誘われた可能性が高い。このようなものに乗ってしまう心境になっていることが心配である。背景を探ると、貧困層の中に将来への希望を持てない人々がおり、犯罪に利用されやすくなっている社会的な問題が隠れていないかを危惧している。

3-3
日本の行く道への8提言

惑星限界の危機が迫っている今、日本は3-2項で述べた如く厳

しい状況にあります。この状況を一新し、真に人類の進化に
貢献できる国となるために、8項目の提言を致しました。お読
みいただいた皆様には、自らの考えを持って改革を始めて頂
くことを期待しています。

3-3-1　日本の役割を広く国民と共有し、より国際貢献出来る国と　　　なろう

二千年の日本の独自に歩んできた歴史を振り返る時、これから
はリーダーシップを発揮出来る国の一つとして人類の有様にど
のように貢献出来るかを考える事が大切と考える。

日米協調の方針はあるが、変貌し混乱する社会にどう対応す
るかで頭がいっぱいの現状から脱皮し、長期の国のあり方の
ビジョンを持って国民と対話して方向性を定めると良いと思
います。若き政治家の中に、地球に役立つそして世界（人類）
に役立つ日本の将来を考える人が出現することを強く期待し
ます。そして、日本国としてのしっかりした心構えの基に、
分かりあえる国々と協力し長期にわたっても専制・独裁と対
峙してそれを人類が克服・卒業し、良い地球を作るのに貢献
してもらいたいです。又可能な限り発展途上国に、援助し続
ける国となってもらいたいと考えます。

上記を実行するに当って、筆者が考える重要事項を延べてお
きます。

　①自由、平等（女性への対応含む）、民主主義、互恵（途上

国への支援を含む）の基本ポリシーの実現に向けて粘り強く取り組むこと。独裁・専制・武力誇示はいずれ収められると信じる。

②日本が第二次世界大戦終了後取ってきた（押し付けられたとも言える）「自衛はするが戦争による問題解決を放棄する」との行動は極めて特徴的ですが、世界に受け入れられていると考えるのでその基本姿勢を持ち続ける。

③唯一の核兵器被爆国として、核兵器廃棄の広島・長崎の活動も評価を受けており、力は大きいとは言えないが、その行動は今後とも重要であり注力し続けること。

④又日本は、過去の優れた工業化実績により世界に進化を広げる貢献をしてきたことも評価されていると考えるが、もはやそれを継続する力は無いが、得意分野でそれを継続し続ける姿勢であること。

⑤日本人の持つ特性（誠実、勤勉、努力　等）も評価を受けている。これらは日本のポリシーとすること。

3-3-2A　農業立国を目指すは必須事項である

最も重要なのは農業政策の転換と考える。食料自給率38%（カロリーベース2022年）の現状を変え100%越えを目指し、農業立国するのである。

全ての先進国は、最低限6割以上の自給率となっており（農林水産省、2014年）、国民の食糧（生命）を自国内の生産活動で

支えることが出来る状態にあるのとは異なり、日本は極めて危険な状態と言わざるを得ない状況である。日本では、米、野菜、鶏卵等以外の主要な食品（大麦、小麦、でんぷん、大豆、肉類等）の自給率があまりに低すぎるのである。

もう一言付け加える。筆者が企業活動してきた1965-2000年は工業立国に注力し成果を挙げた時代である。日本は資源がないので原料を輸入して加工し製品を輸出することが工業立国の精神であった。正にその通りの国であったが、状況は変わった。工業立国をする国は後進国を含め数が多くなり日本もその一つとなった。工業製品の輸出で稼いだお金で、農業製品を輸入していたのである。輸入に頼った食料であるが、その資金は工業立国であったから出来たことを強く自覚する必要がある。貿易収支は、既に赤字となっている。

惑星限界の一つの候補である地球高温化による大雨・洪水・干ばつ・森林火災等により、世界的な食糧事情は急速に悪化を続け、飢えに苦しむ人々が既に10億人は出ていると報道されている。2050年のカーボンニュートラルが例え実行できたとしてもそれまで及びその時点の温暖化による食糧事情の悪化は、想像するだけでも恐ろしい。国民の命を海外からの輸入に頼ることを継続するのが不可能な時が刻々と迫っていると考える。どの国も自国民の安全を最優先し、それを犠牲にして他国の為に輸出を継続することはしないと考える。自給率38%では、海外からの輸入が途絶えた時一人分を3人で分け

ることになるがこれは難しい、最低限2人で食しているものを
3人に分ける姿が必要である。まだ幼児であった第2次世界大
戦末期の京都の食糧事情は餓死者の出る恐ろしい状況であっ
た。

人口減少による負荷も減ることも勘案し、今強力な農業政策
を取れば改善出来ると考える。農業に携わる人々の高齢化に
より農業は今のままではその規模を縮小することになるが、
小規模運用の現状農地を集約化（農業企業の拡大及び個人事
業主の事業援助が必要と思う）と機械化による効率化を行え
ば、少ない従事者で生産量は飛躍的に向上出来ると考える。
生産性の向上は、コスト低下となり国民の負担が軽減できる
メリットも生じる。円安の為替変動による食料価格の高騰も
同時に防げる。
カギは農地の集約化と機械化である。現状は、農家が後継者
不足で断念すると今は農地が放棄される状況もあると報道さ
れている。とんでもないことである。自給率を10割まで高め
ると共の、海外への輸出を輸入より大幅に増やし世界貢献が
出来る体制にもっていくこともその施策の一つである。待っ
たなしの行動である。合わせて、県、市、町、村等の地方行
政も自らの住民の食糧をどのように確保できるか計画を持っ
ていた方が良いことに言及しておく。主食・畜産類・魚類は
国が全体を計画せねばならないが、野菜類は地産地消出来る
体制を取る方が好ましいと考える。再度申し上げるが、京都

に住んでいた家族は食料事情が悪く、滋賀県の田舎の親類を頼って買い出しに行ったことを子供心に重かったと覚えている。

誠に幸いなことは日本の農業製品のレベルは、農芸化学の研究を含め良い位置にあると認識しているので、今後とも技術を高めることに注力すると、成果を挙げることで国際貢献できると信じる。一つの方策として、全ての食品の自給率の100%越えは難しいので、米の生産力を高め大麦、小麦、大豆等相互交換を信頼できる国との間で実行する考えも有効かもしれないことを付記しておきたい。

もう一つ大事なことは、農業を職業としていない日本国民の多くが農作物の育成に興味を持っており、余暇を使って農作物を作り家族のため友人・隣人のため野菜の栽培を行っている。これらの人々の農作物への興味が農業立国の下支えになる。主に地方行政の仕事であるがその重要性も指摘しておきたい。専用農地を用途変更してもはや不要の新しい家を作ることに力を注いでいる地方自治体は、賢くならねばならない。私も借用した小さな農地を使って、さまざまの野菜類に精進している。

再度申し上げておく、この項目に舵を切らなければ、近い将来日本国民は悲劇を見ると心より憂慮する。

3-3-2B　海の利用（漁業と資源開発）にも注力しよう

日本にとって、漁業も大変重要である。

日本の国土は狭いが、海を含めた排他的経済水域を含めれば相当広く、世界6位との情報である。海にいる生物を利用するばかりが漁業ではないと思う。この広い海を使って、新たな技術開発を行いつつ海洋生物との共存に力を尽くすことを提案したい。私自身は全くの素人なので漁業のやり方は分からないが、この海の使い方を創造性高く、革新することで大きな力が得られることを期待する。もう一つは漁業ではないが、海からの資源開発に注力することである。海底火山からの金の採取研究が最近のニュースで報告されている。こちらは農業と違いじっくり有用な成果を挙げていくのが良い。

それから山の多い日本、50年―100年単位の林業も計画してもらいたい。CO_2の吸収量にも好影響が出るのも当然の事であり、大切な配慮事項である。

これらは、政治主導でなければ出来ない主要課題であり、年々実績（数字にして）を大きく公表し、国民の理解と応援を求めることが大切である。
農業立国は待ったなしの最重要課題であり、漁業（海の利用）の革新はこれからの期待の持てる課題である。林業は、CO2吸収量にも関わる大切な問題と考える。日本人の生活を豊かにすることが出来ると考え再度強調しておきたい。

3-3-3　人口目標を明確にし、施策の有効性をチェックしよう（少なくとも8000万人を計画することを主張する）

2022年の日本の総人口は、1億23百万人であるが出産数は77万強である。

現人口は、第2次世界大戦中の「産めよ増やせよ」の考えのもとに団塊の世代に象徴される人口であるが、既に高齢化が進み生産者人口とは言いにくい。

私は、高齢者は個人差があり、体力次第で様々に蓄えた優れた経験・知識・判断力等が活用できると考えており、その働く機会を作るべきでと考えている。行きつけのコーヒーショップ、小レストラン経営、で後期高齢者のご婦人が店を運営しており、私の地域では小学生の信号での見守りが行われている。両者とも大変良い活動と思っている。

現実問題として、出産者数×90歳を活力ある日本人口とみる方が良いと考える。

2022年は、77×90=6900万人である。2023年の上期はさらに、3.6％減少しているとの報道である。

筆者は、一つの国として他国と協調しながら役割を果たせる存在感ある国として留まれるのは、**超大国を除く先進国と同じレベルの8000万人ぐらいが必要と考える。出産者数は90万人を確保することは必要であり、とりあえず目標に設定することを主張する。**

ここ30年の政治では、少子化は口癖になっており最近では異次元の少子化対策とPRしているが目標すら示さない。対策

の有効性に自信がなく目標を定めることが今の当事者は出来ないものと判断する。これでは話にならない。施策の有効性が検証できないような計画ではお金の無駄使いになる恐れが十分にある。猛省を求めたい。

尚、フランスの出生率に関する取り組みは参考にするべきである。

日本民族の役割・使命・世界への貢献の計画に立って、若者へ子供を産み育て次世代につなぐことの重要性を明確にして、子供をつくる社会を継続することの意義を初期教育で明確にする必要がある。これなくして人口問題は語れない。個人の自由は大変大事なものであるが、日本民族の維持を根底に持った上のこととする必要がある。

現在の日本は、一定レベルの人口を維持するとの考えに対して、危機的な状況である。親の世代は多くは4—8人子供を作った。私たち世代は多くはⅠ-4人の子供を持った人が周りには多い。子供の世代には結婚しない人・子供をつくらない人が、親類や友人の中に多く見られる。結婚して子育て等で忙しくするより自分の人生を自由にやりたいとの考えを延べる人が多い。不幸にして気に入った人に出会えなかった人もいるが基本に一人の生活を選ぶ心があると配偶者も得られなかったと推測する。

次の世代の最近の高校生の中には、結婚して貧しい生活と時間がとられよりは一人暮らしをしたいとの声も良く聞くので

ある。個々人の自由を大切にしながら、民族としてのありようを求めることが極めて大切である。最近、3名の以上のお子様をお育てになっている若いご夫婦をよく見かけるようになった。大変その方たちが増えることに期待を持っている。温かい心で接していきたい。

この項目も日本にとって、大変重要な項目であり、政治の最重要課題であり、実行できる政治家を求めていく必要がある。

3-3-4　国を運営する組織・人・設備の効率化を図り、費用の大幅削減に取り組もう

上項で述べたように、日本の人口は現時点で2/3の8000万人を維持していくことは決して容易なことではないが、それを目標とすることにすれば、1億3千万弱の人口の為に作った組織・人・設備のあり方を効率の良い姿にもっていこうとするのは当然のことである。

最初にスタートを切り見本を作るのは、国会であると思う。その意味で日本は、10年前に絶好の機会を逃してしまった。当時野田首相が、衆議院議員定数80名削減を言い始め、国を運営する仕組みの効率化に舵を切ろうとしたことが政争の中で消えてしまったことである。国会のTV報道を見ていたが、野田首相と安倍晋三氏が激しくやり取りしている中で、定数80名削減を成し遂げてから解散するとした野田首相に対して、

そのことは政権が変わっても実行すると安倍氏が応じ、それなら解散しようと野田首相が応じた時である。結局政権交代が起こり80名削減は実行されなかった。まことに残念である。筆者の勝手な意見として言わせてもらえば、衆議院300、参議院200としてゼロベースで民意を反映できる選挙体制を作り直すことである。これを基にして、地方行政の県議会／市議会／町村議会も2/3化し再出発してもらいたい。この延長には、国・県・市・町村の職員の2/3化もある。コンピューターの活用で様々な業務のスリム化が出来る社会になっており、極力複雑化して分かり難くなった仕組みを効率の良い分かりやすい仕組みに組み替えることも必要である。人口が、2/3になろうとしている時、何をすべきか政治家を志すものは取り組んでもらいたい。もうすでに日本は人手不足の時代に入った。日本の運営に過大な人員を掛けるのではなく、農業、魚業、林業、工業、サービス業などの実技を行う人の割合を高めるべきである。

もう一つに空き家問題がある。もう既に820万戸の空き家があると報道されている。私の家の近くにも、立派なたたずまいの空き家が草木に囲まれたまま長い期間そのままになっている。その片方で、土地の使用方法を変える申請を行い多量の農地が新築を立てるために整えている。人口が激減し始めているのに、何をしているのか愚か者と一喝したくなっている。お金儲けの為なら、事の理非もわきまえず建築業が蠢いていると思える。ここでも筆者に勝手なことを言わせてもらえば、

使える空き家は選別し、これから家を建てる若者達に、新しく土地を求めて新築するより安価に（例えば、建物は時価として最低1000万円は）リフォームして譲り渡すことである。個人資産は、それぞれのお考えはあろうが、業者任せにせずにその道を開ければ、日本の若者の活力の向上につながると考える。

3-3-5　貧富の差を縮め、労働者の収入を継続して高めよう

「日本人の平均年収の順位が17位（2000年）から22位（2020年）に低下した」、「この20年間日本の平均年収は横ばいであるの対してイタリアを除くG7国では上昇している」、「日本の最低賃金（2023年）は14位であり、アメリカと同等であるが、欧州・オースタラリア・カナダ等が上位である」であり、日本の賃金が低下していることを日本人は明確に意識する必要がある。（詳細は3-2-2参照）

これについては様々な見方が提示されているが、筆者の20から40代ぐらいの状況に比べて最も違うと筆者が感じるのは、ここ30年間位の日本の企業収益の配分である。企業が利益を上げるとその1/3位は、上島の感覚では給与に反映された。日本のここ30年の状況は、それに対して、企業収益を配当や企業の内部留保にしているのである。企業の収益は、その組織を構成する従業員の働きによる貢献があり当然配分されるべきであるとの考えである。又、そのことが次なる事業の発展のための力となっていたのである。特定の富裕者に、お金を

積み上げても、国を発展させる力にならない。私はストライキを推奨するものではないが、必要なら従業員は自らの権限を主張するべきである。

さらに、株式配当の収入金額が1億円を超えると税率が下がるルールが動いている。個人というより法人のお金がお金を生みやすい仕組みと考えるが国民よりお金を大事にする政策であり、速やかに撤廃した方が良いと筆者は考える。

労働人口の激減が必然的にやって来る今の日本で、夫婦の働き方で130万円以下の収入の方を扶養控除が出来るルールがあるが今やナンセンスの仕組みである。多くの奥様の働き方であると理解するが、労働者人口が激減する今、即時撤廃し、働く希望時間を働いていただくことが良い。良い仕組みを構築して頂きたい。専業主婦の多かった時の仕組みを一新する必要がある。扶養控除は、将来を支える子供達に対して行うべきである。税制の抜本的変更である。

国民が豊かさを感じればこそ、国として力も発揮できると考える。企業収益の配分を従業員は勝ち取ること、企業力を向上させそして国力を向上させると考える。
この内容も最重要事項の一つである。

3-3-6 技術力を回復させよう（技術の独立性確保が必要）

繰り返しになるが、日本人のノーベル賞を受賞した全ての技術者（研究者）が「日本の基礎技術開発力が低下しておりこ

のままでは心配である」と開口一番言っていることである。背景は、一部の政治家が大学や研究機関に使用する予算を基礎研究から目的の定まった開発研究に使い方をコントロールし始めたと思っている。本来、研究者が独自の発想で興味を持ったことを研究し、商品開発には直接つながらないが未知の技術課題を研究することを行ってきたことへの制限を始めたことである。筆者の企業研究に中で、研究開発費が高額になるためこの費用を技術導入に充てれば効率よく製品開発が出来ると言う経営者がいた。基礎技術に新規なものを見出したものがその技術を使って製品開発力を率先して開発できることを無視する暴論である。さらに最近では、学術会議の人選にまで政治が干渉しようとしている。危ういかな日本の技術。技術者に自由度を与え、研究内容に幅を持たせることが必須である。卓越大学の構想は研究テーマに政治がさらに関与を強めようとしているのではないかと危惧している。技術者よ目を覚まして頑張って元に戻そう。政治の他に、生産、研究、技術、芸能、スポーツ等　人類の活動には様々ある。政治は人類の活動を多くの人に幸せを求めてコントロールするものであるが、各分野の発展を指導できるわけではない。そんな能力は政治家にはない。他分野はそれぞれが創意工夫して、新しい活動を生み出していくものであり、政治が自分の都合で方向を制御しようとしても無理なことは、自明である。政治に志す者は、そのことを良く自覚して努めてもらいたい。

全方位の技術力向上ではなく、日本は得意の分野を作ればよい。それにしても、日本技術のシンボルになると考えるリニアモーターカーのもたつき、何をやっているのか、怒りがこみあげて来る。又、惑星限界の危機を解消する技術開発大変重要である。若き日本の技術者・研究者の皆さん、粘り強く、人類の進化に貢献してもらいたい。

3-3-7A　スポーツに成果を挙げる若者を引き続き応援しよう

最近の日本の若者のスポーツの世界での活躍には、目をみはるばかりで実に頼もしい。野球、サッカー、ラグビー、バスケット、バレー等チーム競技が素晴らしい。

個人技の卓球、テニス、バトミントン、スケート等も良い。スポーツは、全ての国の人が参画できる人類の作り出した素晴らしい技である。そこで展開される技は、個人の体を使って体現されるが、科学技術と共通点がある。世界を平和に導く一つのツールであり、今後も大いに活躍することを望み、その仕組みの充実を図ることが良い。これはただひたすら応援の心を延べておきたい。

3-3-7B　観光にも注力し、日本の個性を世界に示し貢献しよう

日本の歴史の遺産、富士山をはじめとする美しい風景、おいしい食べ物、美しく機能に優れるお土産品　等多くの魅力を持っており世界の多くの国々の人に認識され始めている。しかし筆者が最も大切と思うのは、「誠実さ／心許せる国との印

象」を得て安心して訪る人々がおられることである。世界の倫理のモデルになりうる国であることをお示ししよう。

3-3-8　政権交代を行える政治を確立しよう

時の政府の方針（長期、短期）、施策（実施、計画）及び実行状況を判断して、日本国民の多数が適切性が無い（足りない）と評価した時、国民は選挙を通じて政権交代を行うのが民主主義にとって極めて重要である。これらの中で、惑星限界の危機は必ず取り上げなければならないことを主張しておく。第2次世界大戦後の日本においては、政権交代は極めてまれである。国民にとって良い政治が行われた結果と判断する人もおられると思うが、筆者は政権交代による変化への恐れが交代を逡巡させていると思っている。筆者が色々な方と意見交換をした時、最も多く出る意見は「政権交代させたいが、その適当な人・政党がいないので、やむなく現政権に投票する」と言うものである。つまり変わりが見えないから仕方なく今の政権に投票するとの意見である。それを続けた結果、失敗や国民の意向を無視しても政権交代は起こらないと現政権に思わせてしまい方針・施策・実行が磨かれてこなかったと筆者は思っている。方針・施策に対しての、実行状況を一定期間（例えば2年毎）後に監視測定し評価し、次の計画に反映させねばならないが、監視測定は実行してこなかったと考える。国民、特に若き世代が現在より高く政治に関心を示し、論議して政権交代が可能な体制を作り上げることが、日本の将来

を明るくすると考える。若者の行動力に期待する。

4. おわりに

人類が、技術継承が出来る唯一の生命体として進化し人口も急増させたため、その活動による「自然界への負の側面（影響）」が巨大化し、人類が自然界の理解を殆どできていないことと相まって、惑星限界（地球の限界）の危機が迫ることになってきました。

惑星限界の項目としては、その活動又は結果の項目（地球高温化、放射能汚染の危険、プラスチックや各種化学物質による動植物への被害の深刻化、生物種の激減　等）を識者は提示してきましたが、更に筆者は「人口80億人」そのものが惑星限界の項目かもしれないと考えています。

人口は半世紀後には120億人弱まで達するとの予測も発表されていますが、現在のように自国の利益を優先する国が力を持ち武力衝突も辞さないとの考えが横行するようでは、必要な食糧確保、必要な医療確保、人間としての心・待遇の維持　等が共有できなくなりつつあり、難民・移民が1.1億人（2023年）も生じるようでは、もう既に惑星限界となっていると言えるかもしれないと考えます。皆様はどのようにお考えでしょうか。まだまだ人口が増えても、人間の尊厳を維持しつつ進化を続けられるとお考えでしょうか。

筆者をやや楽観的にさせるお話が二つあります。

地球高温化は、地下埋蔵の石炭・石油・天然ガスをエネルギー源としたことですが原因ですが、太陽から地球に降り注いでいるエネルギーは毎秒42兆キロカロリーと超巨大であり、世界で使っている総エネルギーの2万倍以上あるとのことです。太陽光発電や風力発電はその一部を使っているだけです。太陽エネルギーの活用方法を研究開発し成功すれば、化石燃料から脱却することは出来ると予想します。

もう一つは、漸く太陽系宇宙への開発の機運が高まってきたことです。「まず月面に人類常住の基地を作り宇宙観測を始める」、次いで「火星への人類移住への準備をし実行に移す」です。この2つが実現できれば、人類の持つ宇宙への理解力がおそらく飛躍的に高まると共に地球上の課題解決にも役立つ情報が得られると思います。筆者の勝手な想像ですが、火星の大気96%がCO_2のようです。水もあるでしょうから、植物機能を持ち込むことによって、酸素が得られるようになると思います。最初はドームから始まるでしょうが、火星を人類生存基地にする構想が実現するように思います。

人類は、お互いの我欲を突き合わせて戦争し滅亡するより、宇宙技術開発を進めてまず太陽系を住処にする進化を遂げると良いと思います。

日本の現状を見てみますと、"失われた30年"との言葉が飛び交いますように大変厳しい状況です。

一部を除き技術力は世界の技術進化に追いつけず低迷し、国民の平均所得も増加させることが出来ず先進国では遥かに水を開けられた最下位となり、出生者数も75.8万人（2023年）と急激な低下となりました。更に貧富の差が増大し、非正規雇用者が4割にまでなっています。このような状況の中で、惑星限界の危機を迎えており、今の日本の延長上に、国際貢献できる日本の姿を描くことは出来ないと考えます。

将来の世界のあり方に関して、筆者は次のように考えます。「自由」、「平等（男女平等を含む）」、「民主主義」、「各国の主権の尊重」等の思想は人類が幾多の血を流して作り上げてきた重要な考えです。発展途上にある国々においては「独裁」、「専制」、「武力行使」と呼ばれる運用が一時的に成果を挙げても、個々の人権を大事にする考えにいずれ行きつくと考えます。日本は東南アジアにあって、人々が生きやすい国の手本となり、発展途上国への見本及び援助を続けて行くことが大切と考えます。

人間の生み出した技術製品の中には、「自然界に負の側面（影響）」をもたらし、その規模性質により生命体の存続に危機・リスクをもたらし始めています。ところが人間というのは、危険及びリスクについては目の前に突き付けられないと、有識者の問題提起が相当あっても、行動を起こせないところがあります。例えば、地球温暖化については、いろいろな行動はありますが、大事なことが二つ「異常気象による損害額—

GDPの何％まできたか」、「温暖化ガス量の削減データ」が、マスコミで報道され全ての人間がそれを見ることが出来ることにより危機・リスクを感じ取り、動けると思います。組織は持続可能な社会に向けてこんな良いことを行っていますと宣伝するだけでは、対策がどこまで進んだか少しも分からないのです。真に力になる行動は具体的な数字化が出来、それが人類の常識になってからだと思います。

これからの日本の行き方は、人類にとってそして世界にとっても大事だと考えています。失われた30年の行き方では、心はあっても成果を挙げることは難しいと考えます。
現在の日本を支えて働いている皆様・技術者様、将来を担う若者の皆様、ぜひ日本の行く道に記載した8項目の提言（農業立国、人口目標、国家運営の省力化、労働者収入を高める、技術力の回復、スポーツ・観光への注力、政権交代の出来る体制）を見て頂き自分の考えを作り、日本の有様を改革しつつそして世界に貢献出来る働きを期待しております。熟者（高齢者を私はこう呼びたいのです）も可能な限り頑張ります。争いの人類から協調の人類へ、地球の人類から太陽系の人類に進化させていただくことを期待して、筆をおきます。

2023年11月30日　完

COP28を受けての追記

この原稿を書き終えた時に、COP28が開催され、いくつかの大事なことが報道されており、その中で、2050年カーボンニュートラルを達成するために、「原子力発電を3倍に増やす」との宣言が出され、22か国の賛同を得ている。現在の原子力発電所は、世界で436基、発電電力の約10%を占めている。

これが実行されるとすれば、担当する技術者はこの施策による「自然界にもたらす負の側面（影響）」を明確にする必要があると再度主張します。その上で、実行計画を作成してもらいたいです。　カーカーボンニュートラルを達成したが、放射能による惑星限界で人類が危機に立つのでは困るのです。
自然界の影響には、下記のことを含めてもらいたいと考えます。。

①事故時の外部への影響を極小にする方法と影響の大きさ。
②武力攻撃を受けた場合の対処方法─コントロールが出来なくなった時の核爆発を防止する有効な手段を持てるかを含む。
　若しくは武力攻撃を確実に防止できるかを含む。
③今世紀中の産業廃棄物の量、その保管場所、もしその10%が地殻変動で漏洩した場合の地球環境への影響の大きさ。

5. 付記

筆者のたどってきた80年の人生の中で、"技術のこころ"になにがしかの影響を与えたことを付け加えておきます。

5-1
第2次世界大戦中及び戦争直後のこと

終戦の時（1945年8月）、筆者は5歳半でありまだ多くの記憶があるわけではないが、いくつか今でも心に残ることがある。

大阪夜の大空襲、翌朝の京都

当時父親の仕事の関係で、京都大学の官舎（京都市左京区）に住んでいた。大きな庭があり、防空壕を地下に掘って空襲警報が鳴るとそこに入っていた。近くの方も何人か非難してきていた。大阪大空襲の夜（30km以上離れている）であった。夜中を通して大きな音が「ドンドン、ドンドン」としていたが、そのうち眠ってしまった。目覚めたときは朝であり大きな音は終わっていた。その後経験することのない光景があった。太陽の方向がボアーと黄色・橙色になり煙ったようになっていた。後ろを振り返ると10メートル（？）先が見えなかった。その時は分からなかったが、一面砂煙であったのだ。この光景は5歳の子供にも異様なものとして残っている。

大人たちが大阪はどうなったのだろうと言っていた。恐ろしい光景である。京都は、米軍の戦略で爆撃をうけなかった。一度だけ四条通りに爆弾が落ちたとの大騒ぎがあった。

戦争末期、弱者に厳しい京都の悲惨な食糧状況

戦争後期は、配給が滞った。近くに若い女性が家族と離れて向かいの家の2階の部屋を借りて生活していた。食べ物に困っておられ、農家出身の母親は、たまたま広かった庭を使って、カボチャ・イモ類・豆・野菜をたくさん作りしのいでいた。その女性はいよいよお困りになり、サツマイモを収穫した後の堀残しを掘らせてくださいと申し出られた。快く母親は応じており、わずかばかり野菜を差し上げている状況であった。しばらくしてその女性は栄養失調で亡くなった。その時はかわいそうにと思っただけであるが、収穫後の畑を探させてくださいと申し出られた心を考えると今でも涙が出る。戦争などせずにみんなで協力して生きていける世界でありたいと強く思う次第である。

玉音放送の朝

ある昼頃、自宅のラジオの前に近くの人と母親の10名ほどの女性主体の人が集まって静かにしているのに出くわした。しばらくして、ラジオ音声が流れた。玉音放送である。「朕思うに」の音調だけ頭に残っている。私は意味は分からなかったが、終わってもしばらくしんとしていた。ぽつんと「負けた

んだ」との声があり、ちょっとして「勝つと思っていたのに」ともう一声あった。みんな静かに解散していった。今から思うと落胆が国民の中に広がった瞬間であった。

戦争直後、アメリカ人を始めて見る

数日後、アメリカ軍が進駐してくるとうわさが流れた。
ある朝、屋根スレスレに巨大な物体（飛行機）が轟音とともに通り過ぎ、あわてて家に逃げ込んだことがあった。真に恐ろしい瞬間だった。母親が"B29"だと言った。薄肌色の軍服を着たアメリカ人2人が、家の前の道を歩いていた。門に隠れ見ていた。実に大きい。足が長い。こいつらと戦争していたのだ。幼い心に勝てそうにない恐れを抱いた。外国人への劣等感（コンプレックス）の始まりと思う。

新しい10円札

戦後しばらくして、母親が新しい緑色の10円札を見せて、ぺらぺらのこんなものでは何も買えやしない。昔の1円札は良かったと立派なお札を見せた。すさまじい戦後のインフレであった。

長い空腹の時

終戦後は、ほとんどの日本人は飢えと偏食を経験していると思う。私の場合、小学生の兄に給食が始まりパンをもって帰ったことがあり、その分け前に預かろうと必死に追いかけた

記憶がある。残念ながら逃げられてしまいパンにありつけなかった時の子供心の悲しさは忘れられない思い出である。飢えあってのことである。

終戦後三年の小学生2年生の頃である。家（当時大津市）の近くに東海道線が通っており、道路が下を通っていた。米軍の乗客がチョコレートを子供達に投げる場所があった。子供仲間で話題になった。残念ながら私には実現しなかった。アメリカ兵にはおなかをすかしたかわいそうな子供たちと見えていたと思われる。極度の空腹の時は小学校の給食が充実して来て払拭したと思っている。

5-2
奇跡の学びを実行出来た中学高校時代

小学校に入った時

戦争が激しくなり、京都市にいた5人兄弟の末子であった私は、幼稚園に行かなかった。行けなかったわけではなく、親の決断であったであろう。従って近衛小学校に入学した時は、登校前日にひらがなの名前「うえしまたかし」の書き方を教わって行ったのを覚えている。最初の図画の時間で、白い画用紙に何か書くように言われて、クレヨンでぐるぐると塗りつぶしをしたのを覚えている。恥ずかしくて見せられず、裏返しにして抑えていたところ、白髪の女先生が見せてごらんと言い見て、こうすれば良いと花の絵を書いてくれたのを覚

えている。2年生の時、父親が京都大学から滋賀大学（大津市）に転勤となり、親のおかげで滋賀大学付属小学校に編入した。落ちこぼれの生徒であった。母親が良く言っていた「上島さんのところは特に言うことが無いので、帰られてもいいです」とふっくら女性の清水先生が言ったので、「もうしばらくしたら、うちの子は秀才になると主人が言っています」と答えたのでお母さま方の大爆笑があったと言っていた。4年生までは本当の落ちこぼれであった。仲間が一人いた。体力はあり走り回っていた。清水先生暖かかった。

児玉嘉一先生との出会いが転機をもたらした

小学校5年生の時、児玉嘉一先生と出会った。戦争から帰られ、軍隊経験のお話には引きつけられた。マラソンの話は今も明瞭に記憶し勇気付けられた。上官が馬で先導し、兵隊たちが後を追う訓練であった。大変苦しい走りであったが、「なにくそ負けるものか」との心で頑張り最後まで上官と共に走り終えた二、三人の一人となった。後に軍曹になったとのことであった。君たちもしっかり頑張れとの励ましのお話であった。具体例は思い出さないが少しずつ勉強が身に付き始めたころである。

中学生最後で、トップに立った。

そのまま、滋賀大学附属中学校（今流に言えば滋賀県No.1進学校である）に進学した。最初の試験は、87番／144人中であ

った。児玉嘉一先生のおかげであり、落ちこぼれを救っていただいていた。転機は、1年生の秋に肋膜炎と診断され運動停止を言い渡されたことであった。外で遊べなくなった私は、一人でこたつに入り理科の教科書を読んでいたのを覚えている。この2学期で、初めて、理科のテストで100点を取った。自分ながらびっくりした。まったくの独学である。ひとりでの勉強が加速した。初めて参考書を手にしたが、「たかぐもり」という言葉が分からず、理科の授業で先生に質問した。先生が笑いながら、用語辞典を持ってこなければと言われたが、答えは得られなかった。トップのクラスメイトがやって来て、馬鹿な質問をするなと言ったことを覚えている。今から振り返ると、分からないことに出会うと何とかしてその内容を知るためにしつこく追及したようである。このことが私の学力を独学で高めたと思う。英語は、2番目の姉が英語の先生となり2—3回教わったのを記憶している。**現在の受験生の皆様にも「分からないことはしつこく追及する」のやり方は通用すると思う。**「たかぐもり」であるが、70年たって調べたところ、雲には低層雲・中層雲・高層雲とあり、「たかぐもり」は中層雲が主体の曇りであり、薄い日の光を受けて木々の影が出来る程度の曇りとのことである。定義によると、雲が2割以下は快晴、8割まで晴れ、それ以降が曇りとのことである。最近雲の形が面白くて、写真を撮り始めている。2年生の最後のテストは、27番／144人中まで上がった。3年生の時は勉強が楽しくて、試験の回数も多く、10番以内に入ること

が多かった。3年生最後のクラス会で、担任の三宅仁先生（新人の先生で3年間クラス担任の英語の先生だった）が、上島がついにテストで1番になったと嬉しそうに言って頂いた。びっくりすると共に、自らの勉強に自信を持った時であった。

高校時代―技術者への道を決定づけたエピソード

滋賀県の進学校No.1である膳所高校に進学した。高校時代は、中学時代と同様に我流の勉強を3年間継続し概ねトップクラスに入っていた。担任の先生より、通知表を渡すときに、もっともっと勉強するようにと暖かく強い励ましももらった。3年生の数学の試験では、数学1及び数学Ⅱ共に一人満点だと先生に褒められたこともある。因数分解が大好きで出来ない問題があると考え続けた。「$a^3+b^3+c^3-3abc$」の因数分解に悩み3日間かかって正解を得た時の喜びは今も忘れない。

もう一つここで記憶に残る授業に出会う。高校1年生の理科の授業で、先生が試験管に無色透明の液体を2種類混ぜ振り回しいきなり逆さにした。あっ、こぼれるとドキッとしたら、固化しており試験管の底についていた。フェノールとフォルマリンによるフェノール樹脂の合成実験であった。これは面白い、よし俺もこの種の研究をしたいとその時思った。高分子関係の技術者になろうと思いついた出来事である。

大学受験で不合格、浪人を経験

迷わず、京都大学工学部工業化学科を受験した。試験では、

鍵を握る数学のテストで単純な計算間違いによる多くの不正解を出してしまった。自らの計算能力が危ないのに気が付いていなかった。我ながら数学のテスト後呆然とした。結果不合格であった。今でも計算能力に問題が残っている。我流勉強の限界であったであろう。近畿予備校に通い次年度合格した。

5-3
京都大学での生活、世界一流の研究を学ぶ

山あり、谷あり

1回生の時は、初めて出会う優秀な仲間と交流しつつ宇治分校でひたすら学んだ。2回生になって京都市内の本校に通ったが、ここで半年後百万遍の角にあったパチンコ店「モナコ」（最近コンビニになった）に放課後は日参する落とし穴にはまった。4回生になり講座は迷わず第7講座「高分子化学専攻の古川淳二教授」に入り、忙しくなってパチンコと縁が切れた。同じパチンコ・麻雀・花札等の遊び仲間は留年する人が多かった。

世界一流の研究と "Etwas Neues" との出会い

実際は助教授の三枝武夫助教授のグループに配属となった。ここで、毎月の雑誌会（ものすごい数の関連文献の把握）紹介及び毎週の研究会の指導（恐ろしくかつ楽しかった）において、最先端の研究とは何か、研究に取り組む姿勢、新しい

ことを見出す考え方・研究の進め方、等々まさに世界一流の
研究のあり方を学んだ。

"エトバスノイエス（Etwas Neues）"を初めて聞いたのもこ
の時である。京都大学の大学院修士課程に在籍していた時、
古川淳二教授が米国での学会や研究組織を訪問して研究実績
の交換や論議され帰国され、直後に報告会を行われた。米国
の研究室（名前は忘れた）で教授が巡回をするときに、本日
のエトバスノイエスは何かと研究者に問われていたとのこと
であった。当研究室もそれを実行しようと思うと言われた。
確かに、新しい事実を研究し有用な事実を見出そうとする心
は一杯であったが、毎日聞かれたら応えるのは無理だと困惑
の気持ちあった。

"エトバスノイエス（Etwas Neues）"は、技術立国のドイツ
の言葉であり、英語では"Something　New"、日本語では"何
か新しいこと"であり、常に新しいことに挑戦するとの意味
であり、技術に関与されている方々全てにとって大変大切な
言葉である。何か新しいことと簡単に思ってはいけない。扱
っている分野の世界の最新情報を入手・良く理解して、初め
て新しいことは発見できるのである。大切な言葉である。

大学院の5年間、これが続いた。これが技術者としての私の生
き方を決定つけた。両先生には、いくら感謝しても感謝しき
れないのである。子供の頃に染み付いたアメリカ人コンプレ
ックスは、上記の京都大学大学院での5年間の研究生活で、一

流の研究、最先端の研究のあり方を学び、海外の研究レベル
も知り、研究の世界ではコンプレックスは無くなっていた。
工学博士の称号を得た。

5-4
民間企業における活動

基礎研究開発は、残念な結果となった、

昭和電工㈱では、中央研究所に勤務し高分子関係の基礎技術
開発に取り組んだ、その中で、ポリシアノノルボルネンの開
館重合体の開発はC5留分の有効利用と新規構造を持つ樹脂と
して注目を集め、パイロットプラントを建設し注力したが、
残念ながらコストパフォーマンスが不十分で挫折した。いき
なり開発に入らず、新規重合体の特性の把握に努めるべきで
あった。
水溶性高分子を使って他の水溶性高分子を水分散し粘度の低
いユニークな増粘剤を開発する小成果はあった。

**技術導入したエンプラ事業に注力─外国人へのコンプレック
ス完全解消**

その後、特殊樹脂分野への参入を目指した会社の方針もあり、
66ナイロンの技術導入を世界企業であるフランスの会社より
行い、グレード開発と用途開発に取り組んだ。ここでは年1回
技術導入先と開発会議を実施し、お互いの成果を交換した。

3年目位から日本から提案できるグレード・用途開発のレベルが高まり、対等もしくはそれ以上の関係が出来た。技術者間の論議・提案が高度なものになり成果も多くなり、ここに私の外国人へのコンプレックスは完全に解消した。43歳の時である。

マネジャー時代の出来事

昭和電工㈱の川崎樹脂研究所における①特殊樹脂Gのグループリーダー及び②研究所長③昭和電工㈱の本社における樹脂事業部の企画技術部長、④合成樹脂の合弁企業における大分研究所長及び⑤知的財産部長であった。

マネジャー時代を思い起こすと技術担当専務の研究所のパワーアップ計画に則り、②の研究所長時代に、7研究所長が集まり研究行政の在り方を論議し取締役会に提言した53歳の頃が最も充実していた。研究所長会の結論の一つは、「技術競争力が収益力である」ことを信念として結論したことである（図1）。当たり前のことに見えるが、当時研究開発費に見合った収益が得られず、技術導入した方が組織としては良いのかとの論が出ていた時であり、信念を示したものである。勿論事業には様々な要素が絡むであり、これ以外に幅広い事業の余地があるのは言うまでもないが、前述した日本の工業国としての凋落は、技術力の低下によることは間違いがないと思っている。

特に思いが残ることは、研究所長時代に幹部約20人土曜日を

図1　技術力と売上利益率の相関

技術競争力 { 総合判定：材料 (5) ＋加工 (2.5) ＋用途 (2.5) }

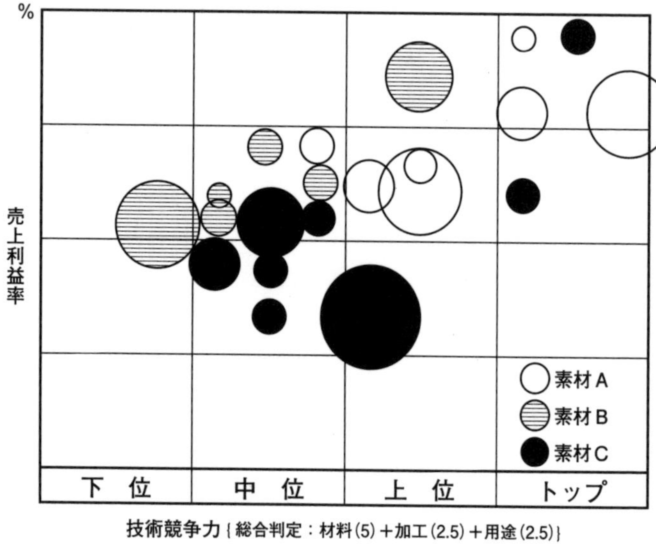

【図1の説明】

　本図は、筆者が35年前に作成した資料を基に、技術競争力と売上利益率の相関をイメージ化したもので実データとは異なる。素材A、B、Cは、このデータの時点では参入企業は5社以上あり、市場開拓を舞台に激しい競争が行われていた。素材Aは先発組、素材Bは2番手組、素材Cは後発組を想定している。

　円の大きさは分野別の市場の大きさを示し、技術競争力は筆者の判断である。

　技術競争力が高い分野の利益率が高いことが読み取れる。後発で参入しても、シェアーが低いとこれ以上の大きな差が出る。

　独自製品で市場に強みがある場合は、なお一段と利益率が高い場合があるのは当然である。

使って春秋宿泊研究会を行い研究所運営の在り方／能力アップ／研究開発の進め方等を議論し実践に移した。前鈴木忠男所長からの継続であったがレベルの高いリーダーを育てた自負がある。

⑤の知的財産部長は、今までの特許部を改組したものであるが、知的財産の考えを初めて具体的に取り上げた。当時3組織（2研究所と工場技術部）において保有していた技術及び特許の主要なもの及び現在取り組んでいる技術の知的財産価値を評価することを組織としては初めて行った。この内容は技術陣にものの見方の転機になったと考える。たまたまこの時期に特許の使用権を求められた案件があり、丁度知的財産価値を考察しており、組織で例のない高額の技術料を得たこともある。

この間、14組の仲人を行ない勇気づけを行って送り出したことは、今思っても大変喜ばしい内容であった。

心を痛めた出来事も複数ある。いずれもマネジャーとして至らぬ点であったが、自らのこころに秘めてあの世にもっていくしかない。権力を手にした時の身の処し方は安易に　気儘にならず厳に慎重で謙虚さが無ければなければならない。一生残る心の痛みである。

5-5
ISOマネジメントシステム審査員は
まさに"天職"となった

定年が見えた頃、先輩よりISO審査員にならないかとの誘いがあった。審査会社の宮西社長と面談する機会があった。何も知らずに、規格とのON／OFFを判断する仕事など創造性のない面白くない仕事と思っているといったところ、ISO審査員の仕事はそんなものではなく、組織の経営品質の向上を手助けする仕事と持論を伺った。世界の識者が作成したISOMS規格に則り、組織の経営のあり方に影響を与える仕事と理解し、独創性・新規性のある研究開発の延長と理解し、一気に前向きになった。

4泊5日の審査員導入教育と試験は、誠に厳しかったが何とか乗り越え、審査に入った。今から思うと、最初の3年間は個々の規格要求事項に頼る審査であった。ただ、専門の設計・開発の要求事項が、活用次第でいかに優れた規格であるか認識を深めていた。5年後位に初めて経営品質の向上の岐路に立っている組織に出会い有効な審査を実感した。それ以降、審査のレベルが逐次高まり、10年経過して以降、これこそ天職と思える時を過ごした。そうは言いながら、審査は1件毎に違いがあり難しい局面も多く発生した。82歳となり日本中を旅する体力が少なくなり、引退を決意した。「ISOマネジメントシステムの安定と進化と高有効性化」(星雲社にて発行)を自費

出版し、この間の重要項目を解説した。誠に満足のいく、22年間であった。

5-6
「人間万事塞翁が馬」は真実である。
わが技術者人生は幸運に包まれた

思えば、技術者・研究者として過ごして来た60年は、きわめて幸運に恵まれていた。「人間万事塞翁が馬」の格言があり、不本意な転機に立った時に、心の持ち方及び行動の仕方を間違えなければ、良い道が開けると信念をもって後輩の皆様に伝えたい。正しき心を殺して誤った道に行ってもむなしさが残るであろう。

中学2年生（滋賀大学付属中学校）の時、肋膜炎を患い運動停止となりこたつに入り教科書を見るしか時間のつぶしようがなく、その結果理科のテストで初めての100点を取り先生に褒められたたことが理科好きにさせた。塞翁が馬の1回目である。

京都大学の工業化学科に進み3回生の時迷わず合成樹脂の研究を行っている第7講座に進んだ。ここで古川淳二教授と三枝武夫教授に出会い、世界一流の研究に取り組む心を学んだことは誠に幸運であった。技術者終生の宝物として私の技術者人生を支えている。

修士課程で就職する予定で、M社を希望したところ、同期が4人も希望しており、就職担当の教授が二人は別のところにし

ろといわれた。丁度その時に昭和電工㈱の田中人事部長が教室を尋ねてきて、M社と同じ仕事をしていると説明されその人柄に魅せられ迷わずそれに乗ったのである。その直後に助教授の三枝先生が独立され、人手が足りないので手伝いに来ないかと誘われ就職後に博士コースに派遣されるとする幸運（**2回目の塞翁が馬である**）を得ている。組織のM化成ではなく、個性重視の昭和電工㈱に入ったのは自らの個性と合っており誠に幸運であった。古川先生の基に集まった同期生、先輩、後輩の皆様の研究力を見て決して自分の能力は高くなかったが、仕事のあり方はしっかり身に付きその後の人生で発揮できたと思っている。

昭和電工㈱時代は、山あり谷ありであったが、良き両先輩（小林昭一さん、鈴木忠夫さん）、両専務（浜田人事専務、丸山技術専務）に親しく出会え、直属部下230名以上の最大の研究所の所長として数多くの有能な人材と出会い研究を行えたのも技術者名利に尽きる技術者人生最大の幸運であった。同期80名のトップグループの昇進をしていたが、52歳の時2職階上の他組織長と研究組織の組織変更の意見を異にして、「正しきにつく」心で職権に従い処置したのをきっかけに、数名の方が先が心配なので妥協した方が良いとアドバイスをもらったとおりそれ以降組織人としては大変厳しい試練にも出会ったが、ここでも最後は新設の知的財産部長として技術を知的財産の立場で統括する働きが出来たこと、最高の技術料獲得する働きもした。定年半年前に、出向させられたが、ここでもISO

審査員という天職に巡り合えた。ここでも ISO 審査員の職務の他に有能な宮西社長に出会い実に22年の技術者冥利に尽きる審査員生活を送った。実に22年をこの天職に捧げ得たのは、まさに幸運そのものであった。（3回目の塞翁が馬である）

当初の計画より1年早くこの道を収束したが、このように技術者人生を余裕をもって振り返れる時間を得、又釈尊の心を知る勉強を本格的にスタートさせることが出来た幸運にも現在恵まれている。

これからは、お釈迦様に怒られることのない「正しきにつく」を最後まで貫くつもりでいる。皆様逆境に出会ったら、「人間万事塞翁が馬」を是非心にとめて頂きたい。

【上島　隆略歴】

1940年1月16日、京都市にて、誠実と努力を教えてくれた上島竹三郎・いと夫妻の第5子として生まれる。小学校2年生の時大津市に移住し、滋賀大学付属小学校・同中学校、ついで膳所高等学校を卒業後、一浪し、京都大学工学部工業化学科に入学した。

筆者の技術者経歴は、

1. 京都大学工学研究科大学院工業化学科に5年間を研究した。博士論文のタイトルは、「Catalytic Behaviors of Aluminum Alcoholates and Alkyls in Polymerizations and Related Reactions」である。

2. 昭和電工㈱及び関連会社の日本ポリオレフィン㈱において、計33年間勤務し、主として高分子関係に従事した。研究員から研究所長、特殊樹脂事業部営業部員、技術企画部長、知的財産部長を担当した。

3. ISO審査員を22年間、3審査機関にて、品質／環境／労働安全衛生規格にて、化学技術に関わっている約1200組織を審査し、組織のリーダーと対話した。「ISOマネジメントシステムの安定と進化と高有効性化」（星雲社）を出版した。

4. 2022年3月、現役技術者を卒業し（技術者の視点は今後も持ち続け適時発信するつもりである）、次の人生（釈尊の心を知る）に進む前に、"還暦技術者"としての整理をすることとし、本書を出版することにした。

惑星限界の危機を迎えて

技術のこころと日本の行く道

2024年5月10日　初版第1刷発行

著　者　上島　隆

発行者　谷村勇輔

発行所　ブイツーソリューション
　　　　〒466-0848 名古屋市昭和区長戸町4-40
　　　　TEL：052-799-7391 / FAX：052-799-7984

発売元　星雲社（共同出版社・流通責任出版社）
　　　　〒112-0005 東京都文京区水道1-3-30
　　　　TEL：03-3868-3275 / FAX：03-3868-6588

印刷所　モリモト印刷